清少納言がみていた宇宙と、わたしたちのみている宇宙は同じなのか？

——新しい博物学への招待

池内 了

青土社

清少納言がみていた宇宙と、わたしたちのみている宇宙は同じなのか？　目次

――天　文――

―― 物　理 ――

――海の生き物――

——陸の生き物——

清少納言がみていた宇宙と、わたしたちのみている宇宙は同じなのか？

——新しい博物学への招待

はじめに——新しい博物学への招待

私が中学生の頃の愛読書はシャーロック・ホームズで、中学二年の頃には新潮文庫で出されていたシリーズ本はすべて読破していた。そこで次にどんな本を読むのがよいかを、図書室の司書をやっておられるH先生に相談した。先生は、図書室で購入している背の高い筑摩書房の『日本文学全集』（確か黄色の表紙）と『世界文学全集』（確か赤い表紙）を指さして、「小説が好きなら、これを全部読むのに挑戦しないか」と言われた。先生の希望で中学の図書室に購入したのだが、誰も読まないと責任を問われる心配があって、そのように私を唆した可能性もある。私はこの挑発に乗って、始めは『日本文学全集』を読み耽り、やがて『世界文学全集』にくらいついていった。貸し出しの図書カードに書名を記入して、それを先生に提出して重い本を持って帰るのである。このような義務的とも言える読書だから身に付かず、作家の名前は何とか覚えているが、全集に収められた作品がどんな内容であったのか皆目思い出せない。しかし、将来の進路希望を聞かれたときは文系と答えていたものである。

ところが中学三年になった頃、兄が数学と理科をまったく苦手としていることを知るや、急遽理系を志望することに変更した。兄とは四歳の年齢差があり、相撲をしても駆けっこをしても口喧嘩しても、何をしても負けるので忌々しく思っていた。そんな折に兄が理系分野に弱いとわかったのである。理数系に進めば私は兄に勝てるかもしれない、浅はかにもそう思い込んだのだ。

結局、私は大学では理学部に進み、大学院では天体物理学（天文学）を専攻した。端的に言えば、早い段階で「詩歌《うた》へのわかれ」を告げて理科の分野を選び、論理と計算に熱中する人生を歩むようになったのである。むろん、科学の研究の合間には気になった文学書を読み耽ることもあるのだが、そんなときは何か後ろめたい気分になって、早々に専門の論文にかじりついたのであった。

そして、四〇歳を過ぎて「厄年」と言われる年齢になると、自分の才能がどれくらいのものか、おおよそわかってくる。全国の同僚の顔を思い浮かべ、あるいは外国の同分野の研究者の名前をリストアップして、自分がどれほどの者でしかないか見当がつくようになるからだ。そんなとき、ふと自分は理系を選んでよかったのか、本来は文系人間で、中学生のときのまま文学の方面に進んでいた方がよかったのではないか、と迷いが生じた。といっても、もはや手遅れで、やり直すことはできないことは明らかだから、なんとか「詩歌《うた》をとりかえす」ことができないか、としきりに思うようになった。「厄年」とは、それまでの歩みを小休止して、人生を振り返って自分を反省し、それまでの生き様に少しばかりの修正を加える年齢なのかもしれない。

そこで私は、一九九二年に天文学の研究の中心である国立天文台を離れて、大阪大学そして名古屋大学へと研究場所を変えた。天文学研究一途の天文台から、他の分野の研究者と交わり、文系の教員や学生たちとも議論できる場へと勤務先を変えたのだ。同時に、地上から宇宙を見上げる仕事から、宇宙からの視線で地上を見下ろす仕事（「科学・技術・社会論」）へと重点を一八〇度転換していった。天の仕組みという「理系知」の探究を進めながら、地上で創造されてきた「人間知」を評価し慈しむということも視野に入れるようにしたのだ。カッコよく言えば「理系知」と「文系知」の融合である。どちらか一方しか知らないのは文化の半分しか味わわず、実に勿体ない、どちらも等しく楽しまなければ損だ、と思うようになったのである。そうして意識して文理双方の視点からものを見る癖を身に付けるようになった。二〇〇〇年頃であろうか。

むろん、そのような分野は、昔から博物学として研究され、数多くの博物誌の本が書かれてきた。西洋においては、古くは一世紀のプリニウスの『博物誌』が有名だし、一五世紀のルネサンスにおける文化革新運動が文学や美術とともに自然科学の復興を促し、大航海を契機にして世界の物品を蒐集する博物学隆盛の時代を迎えた。さらに、さまざまな事象を取り上げて、その起源や歴史や振る舞いを明らかにする自然科学的な記述とともに、人間の生活や習慣や生業《なりわい》とどのように関係するかをまとめた、ビュフォンの『博物誌』のような百科事典に通じる著作とかホワイトの『セルボーンの博物誌』のような身近な昆虫や鳥の生態観察の著作が表れた。やがて、珍しい動物・植物・鉱物の蒐集が盛んになって各地に博物館が開設されるとともに、それらの蒐集物の共通性と異質性に着目した分類学へと発展し、やがて対象ごとに分科して近代科学としての動物学・植物学・鉱物学さらに物理学や化学へと独立していった。つまり、博物学が自然科学発祥の母体となったのである。

これに対し、日本はどうであっただろうか。自然科学の伝統が薄い日本であったが、好奇心溢れる江戸時代の武士や庶民が博物学の進展に寄与したことを忘れてはならない。江戸の博物学は、「本草学」と呼ばれた病気の治癒に使える薬草の見分け方・採集・処法の研究から始まり、動物・鉱物の蒐集にまで広がったのが出発点であった。やがて平賀源内が薬草・薬物だけでなく、諸国の産物・名物を一堂に集めた物産展へと拡大した。いわば見本市や万物博覧会で、珍しい産物・滅多に手に入らない希少品・稀覯物や貴重品を収集・展示するようになって、博物学の第一歩が記された。しかしながら、日本では博物館が作られてそれらの物品を保存し展示するという動きは起こらなかった。その代わりでもないが、博物学者たちは動植物の写生に励んで博物画を多数残し、また標本の蒐集を行うようになったのである。

実際、植物・昆虫・鳥類・魚・獣などの写生図で、尾形光琳《こうりん》・渡辺始興《しこう》・円山応挙《まるやまおうきょ》・喜多川歌麿《うたまろ》などが美術品と言っても過分ではない優れた写生画を残し、私が勝手に「本草大名」と呼んでいる細川重賢《しげかた》や佐竹曙山《しょざん》などが博物画や液漬標本（図）を残している。それに鼓舞されるように数多くの博物学者が表れた。例えば、武蔵石寿《せきじゅ》が七八歳のときに完成した『目八譜《もくはちふ》』とは目八＝貝の図譜で、全八六五種の貝類の彩色図は写実的であるとともに実に美しい。それらの仕事を集大成して現代に蘇らせたのが『彩色　江戸博物学集成』（上野益三序文）で、江戸時代の博物学愛好家が自然と戯れながら観察し、その実相を描き出そうとしたことがよくわかる。

もっとも、西洋の博物学は近代科学の母体になったが、江戸時代の博物学は科学を生まなかったではないかと言われる。その主たる理由は、明治維新で近代の幕を開けた日本が、西洋に「追いつけ追い越せ」とばかりに近代科学の輸入に躍起となり、博物学のような悠長で一見遊びに見える科学を切り捨てたことを挙げねばならない。日本は科学技術一辺倒の国に変身してしまったのだ。と同時に、人々ももっぱら経済や社会に役に立つことを求めるようになり、江戸時代に高く評価された遊び・洒落・機知・粋や潤い・淡白・軽妙・垢ぬけ・即妙・遊戯性・諧謔《かいぎゃく》性などの精神原理が失われ、江戸の文化を体現していた博物学も早々に忘れられてしまったのである。その結果として、科学を難解な知識の塊としてのみ捉え、人間の営みを物語として語る習慣を失い、自然と密接して人々が生きてきた歴史をも抹殺することになった。それは、現在においてイノベーションが強調されていることを思えば、よりいっそう厳然と日本社会に貫徹してきたと言わざるを得ない。

歳を重ねるにつれ、そのような学問の在り方をさみしいことではないか、と思うようになった。科学者としての自分の寸法が読み取れるようになったこともあるが、さまざまな「人間知」にからむ分野、例えば江戸時代の半ば頃に蘭学の学習が解禁されて、さまざまな科学に関連する分野（医学、地理学、天文学、窮理学など）に一種の文化革命が起こり、その成果を人々が楽しんだことを知って大いに啓発されたのである。異質の文化の流入と交流は、新しい世界を発見し創造することにつながるのではないか、そう思ったのだ。現在のようなグローバリズムの強調はむしろ異質性を消去することにつながり、文化をひ弱なものにしている可能性が高い、と。

そう考えるようになって提案したのが「新しい博物学」であった。単なる「博物学の復権」ではなく、わざわざ「新しい」と名付けたのは、科学を楽しむ理系知と物語を愉しむ文系知を融合させることを意識的に行うことを意味している。むろん、数多くの「博物誌（史）」の名作が出版されていて、それはそれで評価するのだが、少なからず不満もあった。理系の人間が書くと、正確であることに気を遣うあまり、細かなことにこだわり過ぎて本質的ではないことに深入りしてしまう傾向があった。他方、文系の人が書くと、科学的に難解なことになると曖昧にごまかし、人間的側面に重心を移してしまうことが多かった。文系・理系の両面を満遍なく見渡せる人間は少ないのである。

そこまでは無理としても、理系の知識と文系の人間の営みを描いたさまざまな作品を合体し融合させて、より大きな物語へと発展させることができないだろうかと考えた。例えば、理系の知が織りなす光景に人間を登場させて文系的な知を接近させる、逆に人間関係が錯綜する文系的な世界に理系の世界の単純な論理を交錯させて新たな展開を図る、というようなものはどうであろうか。むろん、「言うは易く行うは難し」で、簡単ではないが、それを読んだ人々が科学と文学を同じ地平に捉えることができれば素晴らしいことではないか、そう考えて始めたのが「池内流の新しい博物学」である。

これまで『天文学者の虫眼鏡』（一九九九年、文春新書、二〇一二年に改題して『中原中也とアインシュタイン』祥伝社黄金文庫）と、本書のもととなった『天文学と文学のあいだ』（二〇〇一年、廣済堂出版）を出版した。あるテーマについて、文学好きの私が下手の横好きで俳句や詩や文学作品に関わる事柄を渉猟しながら、科学に関わる問題をわかりやすく提示するというものである。まだまだ「池内流新しい博物学」と胸が張れる領域には達していないが、一つの試みとして楽しんでいただければ、と思って、ここに新版を提示することにした。楽しんでいただければ幸いである。

天文

第1章　「すばる」——星は　すばる

「すばる」望遠鏡

国立天文台（旧文部省）がハワイのマウナケア山頂に建設していた、口径八・二メートルの大望遠鏡が一九九九年に完成し、新ミレニアムを期して観測を開始したことはもう旧聞のことになる。宇宙が作り上げた数々の素晴らしい造型を写し出して私たちの目を楽しませてくれており、むろん宇宙研究にも大きな寄与をし続けている。建設を開始したのは一九九一年で、完成までなんと丸九年もかかったことになる。これほど長い時間がかかったのは、一〇〇トンものガラスをいったん溶かして、結晶が歪まないようゆっくり冷やすのに三年かけ、そこから放物面の鏡を切り出して磨くのに四年もかけたためである。鏡面の凸凹の差は一〇〇万分の一センチ（一〇ナノメートル）以下で、北海道を一つの鏡とすると高低差五ミリ以下までツルツルに磨き上げられたことになる。この望遠鏡の角度分解能は〇・二秒角で、東京から一〇〇キロ離れた富士山の頂上においたテニスボールが見分けられる。因みに、視力が一・〇の人の瞳の角度分解能は一分角程度だから、「すばる」はおよそ一〇〇〇倍もの高分解能なのである。

「すばる」望遠鏡の特徴は、一枚鏡であるということだ。世界最大の望遠鏡の一つに、同じマウナケア山頂に一九九三年に建設された「ケック」望遠鏡があり、口径が一〇メートルもある。この望遠鏡は鏡面を三六個に分割して組み合わせている。これほど巨大になると、一枚の鏡では撓《たわ》んだり自重で壊れてしまうので、分割鏡にしたのだ。分割鏡の場合、各々がちゃんとした放物面の一部を構成するよう操作するのが非常に大変である。

そのことを考慮して「すばる」望遠鏡建設チームは、操作しやすい一枚鏡に挑戦した。そのため、まず自重による撓みが小さくなるよう、鏡面の厚さを二五センチにして軽くしている。それでも、口径八・二メートルの鏡の面積は三二畳分もの広さだから、たった二五センチの厚みでも約三〇トンもの重さになる。そのため、自分の重さで撓み、放物面からずれてしまう。そこで、鏡の裏に二六一個の穴を開けて制御棒を入れ、理想的な放物面になるよう時々刻々とコンピューターで力を計算して、制御棒を押したり引いたりして操作する。薄くとも壊れない強化ガラスとコンピューター制御が一枚鏡の「すばる」望遠鏡を可能にしたと言える。

右の、「ケック」望遠鏡は、カリフォルニア州に本部をおくケック財団からの約一〇〇億円の寄付によって建設された。寄付に当たっての財団理事長の唯一の注文は、「望遠鏡に私の名前をつけてくれ」というものだった。そのため、正式名称は「ウィリアム・ケック」望遠鏡である。理事長が息子に替わったとき、記念のためにと追加の一〇〇億円の寄付があり、二台目の「ケック」望遠鏡が一九九六年に完成した。資本主義の牙城《がじょう》であるアメリカだが、儲けた金を文化事業に寄付するフィランソロピーの国でもあることがよくわかる。天文学のような、およそ金儲けと縁のない分野は、フィランソロピーの恩恵を受けねばやっていけない分野である。実際、アメリカでは、一九一七年完成のウィルソン山口径一〇〇インチ（二五四センチ）望遠鏡、一九四八年完成のパロマ山口径二〇〇インチ（五〇八センチ）望遠鏡のいずれも、寄付によって建設されたものだ。残念ながら、日本では大学に講堂が寄付されることはあっても、目立たない望遠鏡は財界のお眼鏡には適わないらしい（寄付すべき金額が二桁上であるためかもしれない）。

「すばる」望遠鏡の建設が文部省に認められた頃、私は国立天文台に在籍していた。当時、JNLT（Japan National Large Telescope）と、味も素っ気もない呼び方をしていた望遠鏡に愛称をつけることになり、私もその命名委員会に参加した。全国公募したところ三五〇〇通を超える応募があり、ハワイに建設するのだからと「曙《あけぼの》」や「小錦」のような当時活躍していたハワイ出身力士の名前があったり、「ひかり」や「こだま」のような新幹線の車両名があったり（当時はまだ運行していない「のぞみ」もあった）で、選ぶのに苦労したことを覚えている。結局、選んだのが「すばる」であった。

星は すばる

清少納言の『枕草子』の有名な一節「星は すばる」にあるように、日本では「すばる」は昔から使われてきた星の名前で、大和言葉である（従って、カタカナで書くべきではない）。星が「統《す》ばる」、つまり多く集まっているという意味である。古代の神々の玉飾りを「御統《みすまる》」と呼んだことが語源、とは貝原益軒《かいばらえきけん》の考証らしい。星の連なりが玉飾りのように見えたのだろう。冬の星座であるおうし座の肩の部分にあって、肉眼では六つの星が識別できるので「六連星《むつらぼし》」と呼ばれることもある（よほど目が良い人なら七個の星を見ることができるが、そんな人はごく希である）。もっとも、近視の人には星一つ一つが区別できないから「ごじゃごじゃ様」であった。星の並び方から「羽子板星」と呼ぶ地方があり、イタリアでも「ラ・ラケッタ」（テニスのラケット）と呼ぶそうで、洋の東西を問わず同じような連想をすることがわかる。

中国では、星の世界（星座）は二八宿に分割され、それぞれに名前がつけられている。「すばる」は第一八番目の「昴宿《ぼうしゅく》」（和名 すばるぼし）で、『日本書紀』巻二九の「天武天皇下一三年一一月」に、

是の月に、星有りて、中央にひころへり。昴星と双びて行く

とある（『日本書紀　五』）。「ひころ」星とは彗星のことで、「すばる」と並んで飛んだという珍しい記録である。『枕草子』二五四段の「星づくし」の全文は、

星は　すばる。ひこぼし。ゆふづつ。よばひ星、すこしをかし。尾だになからましかば、まいて

である（「ひこぼし」と「ゆふづつ」の間に、「みやう星」あるいは「あかぼし」が入っている底本もある）。いかにも清少納言が星に詳しそうにみえるが、どうもそうではないらしい。そのように勘ぐる理由は、ここに登場する星の解説をするうちに理解されるであろう（『古天文学の散歩道』）。

ひこぼし

「ひこぼし（彦星）」は、七夕伝説の牽牛星《けんぎゅうせい》（わし座の一等星アルタイル）のことだが、なぜ清少納言は「おりひめ（織姫）」（こと座〇等星ヴェガ）に触れなかったのだろう。というのも、ヴェガ（おりひめ）は北天で一番明るく輝く星で、黄色っぽく見えるアルタイル（ひこぼし）より二倍も明る

いのでずっと目立つし、青ダイヤのようなきれいな星なのである。実際、西洋では「夏の夜の女王」と呼ばれている。もし、夜空を見るのが好きな人なら、「ひこぼし」ではなく、「おりひめ」をあげるのが通常ではないだろうか（むろん、凡人ならざる清少納言は、人誰しも愛でるものはむしろ平凡として、かえって言及しなかったのかもしれないが）。

七夕伝説は、日本では万葉時代から知られており、『万葉集』巻八の「秋雑歌」に山上憶良の七夕の歌一二首が載せられているのが日本最古の文献である。七夕は「棚機《たなばた》」、つまり横板のついた織機のことで、それ自体は日本古来のものだが、そもそもは中国の楚の時代の「織女」の恋愛伝説から生まれた「乞巧奠《きこうでん》」の行事に起源がある。「乞巧奠」とは、七月七日に織女星に供え物をして、機織りや手芸が上手になるよう祈った女性のための祭りであった。「織女渡河」という言葉があるように、中国では織女が川を渡って牽牛に逢いに行く物語となっており、積極的な女性が主人公なのである。

ところが、日本では、山上憶良の歌、

牽牛《ひこぼし》の　妻迎へ船　こぎ出《づ》らし　天の河原に　霧の立てるは（一五二七）

天の河　浮津の波音《なみと》　騒ぐなり　わが待つ君し　舟出すらしも（一五二九）

があるように、牽牛が出かけることになって主人公が入れ替わっている。古代の妻問婚に合わせて七夕伝説を改竄《かいざん》したものらしい（男社会の陰謀か？）。もっとも、

天の川　水さへに照る　舟競《ふなぎほ》ひ　舟こぐ人は　妹とみえきや（巻一〇・一九九六）

と、女性が川を渡る歌もあることはあるが。

『万葉集』巻一〇には九八首もの七夕の歌が載っており、柿本人麻呂の三八首以外はすべて詠み人知らずであることから、七夕祭りが中国通の上流階級だけでなく、広く庶民にも広がっていたことを示唆している。この世の恋の思いを、空の上の星の物語に仮託して詠うようになったのだ。柿本人麻呂の、

恋ひしくは　日長《け》きものを　今だにも　ともしむべしや　あふべき夜だに（二〇一七）

は、「約束の逢瀬の日が来たのだから、早く来なさいよ」と、ぐずぐずしている彦星（男）を織姫（女）がせきたてている歌である。それに対して彦星は、

天の川　去歳《こぞ》の渡りで　遷ろへば　川瀬をふむに　夜ぞふけにける（二〇一八）

と応じ、「去年来たきりなので、川筋が違って遅れてしまった」と言い訳をしている。人麻呂もこんな歌なら楽しんで創ったに違いない。詠み人知らずの歌、

秋風の　清きゆふべに　天の川　舟こぎ渡る　月人壮子《つきひとおとこ》（二〇四三）

には、幻想を誘うような趣がある。

本家の中国では、むろん織女が天の川を渡ることになっている。梁の劉孝儀の『詠織女』という五言絶句は、

金鈿已照耀　　黄金のかんざしはもう輝いているが
白日未蹉陀　　太陽はまだ傾かない
欲待黄昏後　　日が暮れるのを待って
含嬌渡浅河　　ほほえみ浮かべて天の川を渡りましょう

と、艶《なま》めかしく装った織女が胸を高鳴らせて出かけようとしている姿を絢爛《けんらん》に詠っている。金、白、黄の、三つの色彩語によって、きらびやかな雰囲気を醸し出しているのはさすがである。

もっとも、古代中国では織女が片思いをしていたことになっていて、漢代の作者不詳の五言古詩では、

迢迢牽牛星　　はるかなる牽牛星
皎皎河漢女　　白く明るく輝く天の川の娘
纖纖擢素手　　袖からほっそりした白い手を出して
札札弄機杼　　サッサッと機を織る
終日不成章　　一日織って文模様《あや》はできず
泣涕零如雨　　あふれる涙はとめどもない
河漢清且浅　　天の川の水は清らかで浅い
相去復幾許　　お互い隔たる距離もそう遠くないけれども
盈盈一水間　　満々と水をたたえた天の川に隔てられ
脈脈不得語　　じっと見つめるばかりで、言葉を交わすこともできない

と、ウェットな織女である。これが七夕伝説として、牽牛・織女のロマンス仕立てにした最初の詩らしい（『夏の詩１００選』）。

西洋では、これら二つの星だけでなく、近くに見えるはくちょう座の一等星デネブを加えて

「夏の大三角形」と呼んでいる。アルタイルを頂点とし、ヴェガとデネブを結んだ線を底辺として、三つの星が二等辺三角形を作っているためだ。ヴェガとデネブを結ぶ線で折り返すと、アルタイルはちょうど北極星に重なるので、夏の大三角形は方向を知るのに便利である。因みに、ヴェガは「落ちる鷲《わし》」、アルタイルは「飛ぶ鷲」、デネブは白鳥の「尾」という意味で、実に即物的である。西洋では、星座についてはいろいろな伝説を残しているが、星そのものにおもしろい伝説が少ないのはなぜなのだろう。

ゆふづつ

次の、「ゆふづつ」は「夕星」、夕方の西の空に輝く「宵の明星」のことである。夜明け時に東の空に見える「明けの明星」が「あかぼし」で、いずれも太陽の近くを回る金星が輝いて見えるのだが、果たして清少納言の時代に二つを同じ星と知っていたのだろうか（「あかぼし」は「みやう星」と同じで木星とする説もある）。「ゆふづつの」は「か行きかく行き」の枕詞で、『万葉集』巻二の柿本人麻呂の長歌では、

……夕星の　か行きかく行き　大船の　たゆたふ見れば……（一九六）

というふうに使われている。この歌の「か行きかく行き」は、「あちらへ行ったり、こちらへ行ったりして」の意味で、「明星が、明け方・日暮れ方、東に見え、西に現れる」と解釈できなくもない。もしそうなら、宵の明星も明けの明星も同じ一つの星と知っていたことになる。とはいえ、後知恵で解釈するのは正しくない。万葉人が宵の明星と明けの明星は違った星と思っていたとすれば、「か行きかく行き」は、後ろの「たゆたふ」と同じく、「ゆらゆら動く」と解釈すべきだろう。実際、まだ明るい夕方では太陽が眩しいから、宵の明星は見えたり見えなかったりして、揺らいでいるように見えたのかもしれない。右の人麻呂の長歌は、明日香皇女の木瓲《きのへ》の殯《もがり》宮《みや》の時に詠った歌で、悲しみで宵の明星のように足が進まない様を描写したと考えてもよいだろう（私が、わざわざ国文学の解釈に介入することはないが）。

「あかぼし」と「ゆふづつ」が対になって使われている例として、『万葉集』巻五の山上憶良の「男子《をのこ》名は古日《ふるひ》を恋ふる歌」がある。彼が筑前に在任中に管内の幼児が死んだのを悼み、実の親に代わって詠ったものらしいが、実に感動的な歌である。その始めの部分で、

……白玉の　わが子古日は　明星《あかぼし》の　明くる朝《あした》は　しきたへの　床の辺去らず　立てれども　居《を》れども　ともに戯れ　夕星の　夕《ゆうべ》になれば　いざ寝よと　手を携はり　父母も　うへはなさかり　三枝《さきくさ》の　中にを寝むと　愛《うつく》しく　しが語らへば……（九〇四）

と、可愛い盛りの頃の子どもの思い出を描写している。ここでは、「あかぼし（明星）」は「明くる」、「ゆふづつ（夕星）」は「夕に」にかかる枕詞として使われているが、明けの明星と宵の明星は、いわば「朝は朝星、夜は夜星」と日の出と日の入りの象徴であったのだろう。

「ゆふづつ」を七夕に重ね合わせて詠っているのは、『万葉集』巻一〇の柿本人麻呂の歌、

夕星も　通ふ天道《あまぢ》を　いつまでか　仰ぎて待たむ　月人壮子（二〇一〇）

である（『宇宙をうたう』）。

さて、日本では「ゆふづつ」と呼ばれた金星は、中国名で「太白星」であり、ギリシャ名が「ヴィーナス」であるように、白く明るく輝く美しい星である。金星が白く輝くのは、七〇気圧を超える大気に厚く包まれており、太陽の光の八〇パーセント以上を反射するためだ。この大気はほとんど二酸化炭素でできており、その温室効果のために金星表面では摂氏四〇〇度を超える熱地獄となっている。これほど温度が高いと水は完全に蒸発して水蒸気になってしまい、水蒸気はやがて太陽の紫外線で壊されてしまうから、現在の金星には水がないと考えられている。そして、金星の表面では、大気に浮かぶ雲から硫酸や塩酸の雨が降り、岩は溶かされてドロドロと流れている、というような恐ろしい状態であろうと想像される。そのため、金星には生命は一切誕

生しなかったと思われている。見かけの美しいヴィーナスに騙されてはいけない、そこには灼熱地獄が隠されている、のだから。

よばひ星

よばひ星とは、流れ星のことで、実は由緒ある呼び名なのである。まず、女性に求婚する意味の「婚《よば》ひ」が『古事記』に現れる。八千矛神《やちほこのかみ》（大己貴神《おおなむちのかみ》の別名、大国主神）が沼河比売《ぬなかわひめ》に求婚する場面で、

　賢《さか》し女《め》を　ありと聞かして　麗《くば》し女を　ありと聞こして　さ婚ひに　あり立たし　婚ひに　あり通はせ

とある。初期の「婚ひ」は「呼ばひ」であり、堂々と声をあげて言い寄る意味であったようだ。残念ながら、沼河比売は家の中に閉じこもってしまい、その夜は八千矛神に会ってくれず不首尾に終わった。翌日の夜に逢引に成功するが、嫡后の須勢理毘売《すせりひめ》の嫉妬を買ってしまった、と『古事記』に書かれている。大声で求婚するのだから、ばれるのは当然だろうに。「婚ひ」の苦労は

人麻呂の長歌（『万葉集』巻一三）、

隠国《こもりく》の　泊瀬の国に　さ結婚《よばひ》に　わが来れば　たなぐもり　雪はふり来《き》　さぐもり
雨は降り来《く》　野つ鳥　雉《きざし》はとよみ　家つ鳥　鶏《かけ》も鳴く　さ夜は明け　この夜は明けぬ
入りてかつ寝む　この戸開かせ（三三一〇）

からもわかる。

このように、尋常の「婚ひ」（あるいは「呼ばひ」）は雨や雪が降ってきて苦労ばかり多くて不首尾が多かったためか、やがて男どもは女性の許へ密かに忍んで行くようになった。「夜這ひ」に転じたのである。暗闇に乗じて、さっと女性の許へ「駆けて」（気持ちは、空を「翔て」）行く姿が流れ星に似ていることから、流れ星自体が「よばひ星」と呼ばれるようになったのかもしれない。

清少納言が「よばひ星、すこしをかし」と書いているのは、このような「夜這ひ」を連想したからに違いない。ならばこそ、「尾だになからましかば、まいて」と付け足したのだ。わざわざ、明るく輝く尻尾を引きながら駆けては忍び逢いにならず、すぐに露見してしまうからだ。とはいえ、流れ星が尾を引かなかったら目を惹かないし、ちっともきれいでないだろうに（願い事を託すこともできないし）。清少納言は、この文章を書いたときは、「よばひ」に引きずられて、実際の流れ星のことなんか思い浮かべなかったに違いない（この文章については、専門家はさまざまに解釈しているそうである）。

もっとも、時代とともにまた、「よばひ」は「夜這ひ」から、陽がまだ出ているうちに男が訪ねゆくことを意味するようになったらしい。『源氏物語』の「玉鬘」では、

懸想人は、夜に隠れたるをこそ、「よばひ」とは言ひけれ、様かへたる、春の夕暮なり

と書いているからだ。むろん、紫式部は、

秋ならねども、「あやしかりけり」とみゆ

と批判している（カッコは筆者の挿入）。彼女にとって、「よばひ」は、人知れず夜中にそっと忍びゆく行為であるべきなのであろう。

ところで、流星は「星」と名がついているが、「星」ではない。衛星・彗星・惑星・恒星・巨星・矮星《わいせい》など、通常の「星」は、少なくともサイズが一キロメートルより大きな物体の固まりである。ところが、流星は、大きさが数ミリの塵が地球大気中に飛び込んだときに発光する現象であるからだ。その塵は、もともと彗星が過去に太陽近くにやってきたときに吹き出されたもので、彗星が通った跡に漂っており、地球の公転軌道がこれに交わった場合に、流星群として観察され

る。八月中旬に観察される「ペルセウス流星群」は一九九二年に出現したスイフト＝タトル彗星、一一月中旬の「しし座流星群」は一九九八年に出現したテンペル＝タトル彗星、というふうにそれぞれの母天体である彗星がわかっている。

太陽近くに最近やってきた彗星が作る塵の帯は、まだせいぜい数千キロメートルくらいしか広がっていないから、地球の通り道と彗星の軌道があまり重なっていない。そのため、地球が塵の帯を横切る時間は一時間くらいしかなく、そのときにちょうど夜でなければ流星群を見ることができないわけである。流星群が見られるという予報が天文台から出されても、必ず雨のように流星が降り注ぐ光景が見られるわけではない。流星群が見えると予報されながら、ちっとも見えなかったということが起こるのは、塵の帯と地球の軌道が交叉する時間の予想がまだ正確でないためである。また、二〇二一年の夏、ペルセウス流星群で天文台の予報したピークの翌日に、もっと大量の流星が見られたそうだ。

清少納言の虎の巻

以上のように、『枕草子』の「星づくし」と現代流の解説を並べてみたが、清少納言の文章を眺めていると、やはり彼女は星空を本当に眺めていたわけでもなさそうだ、と想像される。どうやら虎の巻があったようで、源順《みなもとのしたごう》が編んだ『和名類聚抄』（略して、『和名抄』）らしい。当時重宝した辞書（あるいは事典）で、その「天の部」には星の名前が一六記載されているが、清少納言はそれから韻律が良いものだけを借用したのではないか、と推察されている（『古天文学の散歩道』）。この『和名抄』には、それぞれ、

昴星、和名は須八流
牽牛、和名は比古保之
夕星、和名は由不豆豆
明星、和名は阿加保之
流星、和名は与八比保之

と書かれている。第一級のインテリであった清少納言がこの本を知らないはずがない。空を見上げての「づくし」を二五〇段の「降るものは」から書き始めて、「雪は」「日は」「月は」とくれば、次は「星は」とならざるを得ない。考えあぐねた清少納言は、とっさに『和名抄』をひもといて語感にフィットするものを選んだのだろう。といっても、私は清少納言を貶《おとし》めるために言っているわけではなく、彼女の言葉の選び方やリズム感を大いに賞賛したいのだ。一連の「空づくし」を、次の二五五段の、

雲は　白き。むらさき。黒きもをかし。風吹くをりの雨雲……

へと、トントンと続ける手腕はさすがである。

この「づくし」の手法は、『梁塵秘抄』に受け継がれていて、巻第二の三三〇歌の「よくよくめでたく舞ふものは」から三三四歌の「常に恋するは」まで、言葉遊びが続いている。そこにも、

常に恋するは
空には織女《たなばた》　夜這星《よばひぼし》
野辺には山鳥　秋は鹿
流れの君達　冬は鴛鴦《をし》

と織女と夜這星が登場する。おそらく、この歌謡は『枕草子』をお手本にしたのだろう。牽牛ではなく織女となっているのは、次の夜這星に続けて艶めかしさを出し、最後の「流れの君達」へとつなぐためと思われる（「空には牽牛　夜這星」ではね……）。まさに、

遊びをせんとや生まれけむ

戯《たわぶ》れせんとや生《む》まれけむ（三五九歌）

ではないか。

行方知れずのプレヤード伝説

「すばる」の西洋の呼び名は「プレアデス星団」である。地球から約四〇〇光年の距離にあって、誕生後一〇〇〇万年くらいの比較的若い星の集団と考えられている。肉眼では六個（または七個）の星が見えるが、望遠鏡を使うと三〇〇〇個以上も星が集まっていることがわかる。星は、通常このような大集団で生まれるのだ。

「プレアデス」は、ギリシャ神話で、月の神アルテミスに仕える七人姉妹の名前に由来する。姉妹たちが森で踊っているとき、突然、太い棍棒を持った狩人のオリオンが現れ、彼女たちをからかったので、姉妹たちは慌ててアルテミスの衣のすそに隠してもらった。オリオンが通り過ぎると、七人は美しい鳩となって天に飛び立ち、星となって仲睦まじく集まって輝いている、という伝説がある。初冬に、おうし座のプレアデスを追いかけるようにオリオン座が天に昇ってくるのと符合する話となっている。ところが、「七人姉妹が星になったのに、なぜ六つしか星が見えないの？」という疑問が生じる（前述したように、「すばる」つまり「プレアデス星団」には普通星は六個しか見えず、よほど目が良い人でないと七個まで識別できない）。

七という数は、洋の東西を問わず、魔法の数・魅惑の数・不思議の数・オカルト数と考えられてきた。思いつくだけでも、音楽の一オクターブが七音、一週間は七日、月は七日ごとに位相を変え、七つの聖霊に七つの大罪、第七の封印、ギリシャ語の七母音、元素の周期律、ラッキーセブン、などがある。日本でも、七福神、七人の侍、七本槍、北斗七星、七生報国、七変化、お七夜、七難隠す、初七日、七つのお祝い、などが思い浮かぶ。一〇までの数の中で、最大の素数（一と自分自身でしか割り切れない数）であり、周囲とは屹立《きつりつ》した数とみなされたためらしい。

このように、七は、神秘的な意味を暗示する特別な数である。ところが、プレアデス星団には六個しか星が見えない。数の原理からは七であるはずなのに、現実は特別な意味を持たない六でしかない（もっとも、六は「完全数」という自分自身を除く正の約数の和に等しい自然数となっている特別な数なのだが）。いわば、「原理は対称、現実は非対称」の食い違いが生じているのだ。科学の世界では、これを「対称性の破れ」と呼んでいる。原理の世界では美しい対称性を持っているはずなのだが、現実の世界では対称性が破れたいびつな形で実現している。原理と現実が異なるその理由は何か、を問題にするのである。

この食い違いの後日談は、ギリシャ神話では「行方知れずのプレヤード伝説」と呼ばれ、アレコレと物語が語られてきた。その一つに、姉妹の一人であるエレクトラの伝説があり、わが子ダルダロスが建設したトロイの街が戦争で破壊されてしまったので泣き暮れ、その涙のために星の姿がかすんで見えなくなってしまった、という話になっている。あるいは、エレクトラはほうき星になって飛び去ってしまったと語り伝えている地域もある。これらは、神話の後日談によって歴史や天文現象を子孫に伝えていく試み、と言えなくもない。

アメリカの先住民にも、七人の子どもが手をつないで星の歌を歌いながら踊っていたら、星が瞬いてかれらを天に招き「すばる」になった、という伝説がある。この伝説でも七人の子どもである。しかし、一人だけ下界を恋しがって泣いてばかりなので、その星はよく見えない、と注釈が付いている（『星の神話・伝説』）。

すばる満時

「すばる」は目立つ星団であるため、夜の時刻を推し測ったり、農作業の時期を決める目安になっていた。その一つに、

すばる九つ　夜は七つ

がある。「すばる九つ」とは、「すばる」が南中する（最も高く真上に昇る）という意味で、旧暦八月の七つ（午前四時頃）と言い伝えられている。この頃に、ソバの種をまく習慣があったようで、これを「昴満時」といい、

すばる満時　粉八合

という諺が信州に伝わっている。「すばる」が真上に昇る頃にソバをまくと、一升のソバから八合もの粉が取れるくらいの豊作になるという意味だ。また、

すばる満時　夜が明ける

すばる満時　まだ夜は長い

の矛盾した二つの諺がある。昴満時である午前四時を、夜明け間近と思うか、まだ数時間寝られると思うか、人さまざまなのだ。怠け者の私は、「まだ夜は長い」ともう一寝入りするタイプである。他に、

すばるの山入り　麦蒔きのしん

という諺もある。夜明け方に西空を見て、「すばる」が山の端に見えるとき（一一月下旬）が麦まきに適した時期（しん＝しゅん）、と伝えている。

おもしろいのは、南米のペルーやボリビアの先住民たちが現在でも行っている「すばる占い」である。かれらは、何世紀にもわたって、初秋の六月中頃の明け方の東の空に昇り始める「すばる」の見え方を詳しく観察して、ジャガイモを植える時期を決めてきた。「すばる」の明るさ、星団の大きさ、最も明るい星の位置などから、夏を迎える一二月から翌年の一月に降る雨量を予測しているのだ。例えば、「すばる」が明るく見えると、翌年の雨は早く多く降るので、植え付けを早くすれば豊作になると占っている。逆に、「すばる」が暗いと、翌年は雨が少なく不作となるから、植え付けは遅く少なめにしよう、というわけである。半年も前の初秋の星の見え方で、やがて来る夏の雨量を予想してきたのだ。

最近、人工衛星を使った高層大気の観測から、この言い伝えの正しいことが実証された。「すばる」の見え方は高層大気中に含まれる水蒸気や雲量で決まっており、それが半年後に地上に降る雨量と関係しているらしい。そこで、高層大気中の湿度を測りエルニーニョの発生（雨が多くなる）との相関をとると、見事に強い相関関係があるとわかったのだ。それは「すばる」の見え方ともよく相関している。この研究は、先住民たちの言い伝えをヒントにして行われたもので、神話や言い伝えを異なった目で見直すと、新しい発見があることを示している。「諺侮るべからず」と言うべきだろう（『新編 故事ことわざ辞典』）。

すばるの歌

不思議なことは、早くも『日本書紀』に「昴」の名が出ているのに、長い間、歌には詠まれなかったことだ。やっと江戸時代の後期になって、桂園派の祖と呼ばれる香川景樹《かがわかげき》が、

山の端に　すばるかがやく　六月の　この夜はいたく　更けにけらしな

と詠ってから歌ことばになったそうである（『歌ことばの辞典』）。

とはいえ、諺が多くあるように、人々がすばるの見える方向と高さから夜の時間を推測していたのは事実で、すばるは夜空の良い目印になっていたのである。実際、一七七二年に出版された『山家鳥虫集』という江戸時代の諸国歌謡集には、丹後の歌謡として、

月は東に昴は西に　いとし殿御は真中に

が収められている。この歌は、旧暦の八月末の盆踊り風景で、ふと見上げたらすばるが西の空に沈みかかるような明け方まで踊り続けていた、と詠っているのだ。蕪村の有名な、

菜の花や　月は東に　日は西に

の句は、この歌謡を頭の隅においていた可能性がある。実際に蕪村は丹後に暮らしたことがあるからだ。三重民謡でも、

お日は山端に　すばるは西に　天の川原は　雲の中

があり、長崎歌謡にも同様の歌がある。すばるは人々にとって親しい星だったのだ。小唄や都々逸《どどいつ》として人々が口ずさんだ七七七五調の歌謡は、短歌や俳句のような芸術性がなさそうに思われがちだが、蕪村の連想を鼓舞するような力を持っていることは忘れてはならないと思う。『梁塵秘抄』の歌謡も同じである。

明治・大正・昭和と時代が移るにつれて夜空がどんどん明るくなり、人々の星への関心も薄れていった。明治時代には、まだ与謝野晶子らの明星派の雑誌「スバル」があったが、現在ある文

芸雑誌の「すばる」やクルマの「スバル」が、星の名に由来することすら忘れ去られている。ところが、幸いにも、谷村新司の有名な曲「昴」によって、今や星の名前として知らない者がないくらいになった。天文学者は谷村新司に感謝状を贈呈することを考えるべきかもしれない。

で、私も、谷村新司に敬意を表して、この章を彼の歌詞で締めくくることにしよう。

我は行く　さらば昴よ

第2章　「れんず」――伸び縮む奇なる眼鏡

レンズマメ

老眼鏡の厄介になってもう二〇年になる。もし眼鏡がなかったら、本の世界に遊ぶことができず、実に味気ない老いの日々となっていたことだろう。ありがたいことである。もっとも、若者から見れば、眼鏡が老害の元凶であるかもしれない。老人どもがいつまでも議員や社長の椅子にしがみついていられるのは老眼鏡があればこそ、なのだから。そんな気配を察したのか、ロンドン大学の心理学教授であるニコラス・ハンフリーは、「人類の歴史において、もっとも重要な発明は何？」という質問に対し、「読書用眼鏡だ」と回答し、「眼鏡は読書や細かな仕事をする人の活動期間を事実上二倍に延ばし、世界が四〇歳未満の連中に支配されるのを防いでくれたから」と先手を打って理由を述べている（『2000年間で最大の発明は何か』）。老眼鏡は老人の力強き味方、人類が繁栄した大本、と言いたげだ。それほどの自信はない私ですら、こうして文章が書けることをひたすら老眼鏡に感謝するばかりである。さて、人類は、いつ凸レンズを発見して老人用眼鏡に仕立て上げたのだろうか。

葉っぱの上の丸い水玉を通して見ると、下の葉脈がクローズアップされて大きく見える。この発見が出発点のようだ。やがて、丸いガラス瓶に水を入れて向こうを覗くと、後ろの景色を拡大してくれることにも気が付いた。さらに、ガラスや水晶を細長いマメのような形に細工すると、像を歪ませずに拡大できることがわかってきた。実際、レンズの語源は、地中海地方が原産の「レンティル」という名のヒラマメ(あるいは、レンズマメ)にある。そのマメの形を真似て凸レンズが発明された、という経過らしい。英語のレンティキュルという呼び名に、凸レンズの出自がそのまま残っている。

歴史上の文献で、初めて凸レンズが登場するのは、アリストパネスの『雲』である(と思われる)。この喜劇の中で、ソクラテスがストレプシアデスに、「今お前に五タラントンの弁償を求める訴訟が、裁判所の蝋板の予定表に書きこまれるとしたら、どうやってそれを消せるか」という問題を出した。そこで考えたストレプシアデスは、薬種屋で水晶玉を手に入れ、「裁判所の書記が書きこみをするときに、そこから離れたところにいて、こういうふうにお日さまに当てるのさ。そしてわしの訴訟ごとが記されているところを、溶かして消してしまう」と答えている。凸レンズが、像を拡大するだけでなく、太陽の光を一点に集めて熱を発生させる働きをすることも、かなり早い段階から知られていたことがわかる。

老眼鏡までの道のり

光が水やガラスに入射したときの屈折作用や反射の法則を詳しく調べたのは、一〇〜一一世紀のアラビアのイブン・アル・ハイサム（ラテン名アルハーゼン）である。彼は、『光学の書』を著し、平面だけでなく球面や円柱面での光の反射・屈折を研究したが、これらは「アル・ハイサムの問題」として知られている。ヨーロッパの中世の間、アラビアにおいてギリシャ・ヘレニズム文化が保存されて発展し、やがてルネサンスに引き継がれていったことは今や常識だが、科学の世界でもアラビア文化が重要な役割を果たしたことを象徴する人物である。

アル・ハイサムは、アレキサンドリアの医学の流れを受け継いでおり、目の構造について解剖学的に精確な描写を残している。特筆されるのは、視覚は物体から発せられた光を目が受け取る作用であると見抜いたことで、それまでは、逆に目から光が発せられるので物が見えると信じられていたのだ。ハイサムは、目に入った光は、彼自らが〝水晶体〟と名づけた凸レンズ状の器官の伸縮によって後ろに鮮明な像を結ぶ、という仕組みを発見し詳しく書き付けている。このことから、ハイサムが凸レンズにおける光の屈折の法則を実に正確に把握していたことがわかる。また透明なエジプトガラスを使って凸レンズを作り、虫眼鏡用に使ったという話も伝わっている（『身近な物理学の歴史』）。

アル・ハイサムの著作がラテン語に訳されてヨーロッパでも読まれたのは一三世紀頃らしい。その恩恵を受けたのがロジャー・ベーコンで、アル・ハイサムの著作を参考にして光の反射・屈折の法則や目の生理作用についての明快な説明を加えつつ、レンズや鏡を使う実験を長期にわたって続けている。彼に「びっくり博士」の異名がついているように、空飛ぶ機械や火薬の製法など思いがけないアイデアを出して人々を煙に巻いた人である。

実際に、老人用の凸レンズの掛眼鏡を発明したのは、イタリアのサルウィーナ・デッリ・アルマーティーと考えられている。ヴェネチアを中心としたイタリアのガラス工芸の発達が背景にあった。アルマーティーは、凸レンズが小さい物を大きく見せる働きに着目した。人は歳をとると近くの物が見えにくくなる。年齢とともに筋肉が硬直して水晶体がちゃんと伸びなくなり、網膜上に焦点を結ばなくなるからだ。ところが、目の前に凸レンズを持ってくるとはっきり見える。それなら、二つのレンズを枠に入れて鼻の上に乗るように工夫してみよう、というわけだ。

ウンベルト・エーコは、『薔薇の名前』において、掛眼鏡をフランチェスコ会派の修道士ウィリアムの事件解決のヒントとして使っている。時代設定は、「枠つきのガラスの目玉」が発明されて四〇年くらい経った一三二〇年である。さすが物知りのエーコと言うべきだろう。

老眼用の掛眼鏡をかけた最古の絵は、一三五三年にトマソ・パリシコが描いたフレスコ画のようだ。人々が日常的に掛眼鏡を使うまでには時間がかかったことがわかる。とはいえ、当時の人々の平均寿命が四〇歳以下であったことを思えば、老眼鏡を必要とする人が少なかったのかもしれない。そもそも一四世紀までは、老害の心配はなかったのだ（『ガリレオたちの仕事場』）。

凹レンズの由来

凸レンズに比べ、近視用の凹レンズについては歴史的な記述がなく、その由来ははっきりしない。ようやく一五世紀中頃、ニコラウス・クサヌス枢機卿《すうきけい》（通称クサのニコラウス）が凹レンズについて書き付けている（ようだが、私は確認していない）。自然界には凹レンズに対応するものがないから、日常生活の中ではなかなか発見されなかったのだろう。私は、ガラス板から円盤状に凸レンズを切り出した後のガラスの屑から、凹レンズが発見されたのではないかと想像している。平均寿命が延びるにつれ凸レンズの掛眼鏡の需要が増え、レンズ屋も商売になったに違いない。ところが客の中には、近視の人もいただろう。この客が掛眼鏡をかけると、くっきり見えるどころかいっそう像がぼけてしまう。「なんだ役立たず」などとレンズ屋に文句を言いつつ、暇つぶしにガラスの切り屑を拾って覗いてみたら字がはっきり読めるではないか。「おいおい、これを眼鏡に仕立ててくれ」、というわけで偶然に凹レンズが発見された、のではないだろうか。

というのも、英語（元々はラテン語）で、凸レンズにはレンティキュルというその出目を意味するレッキとした名詞があるが、凹レンズには concave lens という説明つきの名称しかないからだ。

この名称は、con（あるいはcom＝共通）とcave（穴ぼこ）の造語で、convex（凸）と対になっている。つまり、呼び名から見ても、凹レンズは独立した実体としてではなく、凸レンズに従属して、あるいはせいぜい対として人間世界に登場したのではないか、と推測できる。とするときっと、凹レンズはレンズ屋で凸レンズの副産物として発明されたのだ。些《いささ》か、強引な想像だが……。

ところで、ニコラウス・クザーヌスは一五世紀の枢機卿にしては珍しい人で、著書『学識ある無知』で、神の無限性を讃えるためにアリストテレス流の有限宇宙を否定し、神が住みたもう地球は無限の宇宙を遍歴する、というジョルダーノ・ブルーノやニコラウス・コペルニクス顔負けのアイデアを披瀝《ひれき》している。むろん、それは、有限世界の中心に鎮座するのは神が住みたもう地球であるとするキリスト教的宇宙観に反対して、無限に拡がる多様な宇宙を構想したためではなく、また地動説を標榜《ひょうぼう》しようとしたわけでもない。神の偉大さは地球に留まらないことを象徴的に述べただけなのだ。おかげで、排撃されるどころか枢機卿にまで出世した。クザーヌスは、中世の閉じたコスモスに囚われず、企まずして近代の無限宇宙へ先導をするという、知の勇躍さを発揮した不思議な精神の持ち主であったようだ。凹レンズに強い興味を抱いたのも、彼の奔放な想像力にあったのかもしれない。

凹レンズがなかった時代では、さぞや近視の人にとっては、文字は読みづらく、書くことも困難であったろう。少なくとも、近視の人は作家になることを諦めたに違いない。ルネサンス期のフィレンツェの大スポンサーであったメディチ家は代々強度の近視の家系であったようで、文学ではなく、建築や絵画・彫刻のような造形美術の庇護者であったのはそのせいかもしれない。メディチ家出身の教皇レオ一〇世が鼻眼鏡をかけた姿をラファエロに描かせたのは一五一五年で、この頃ようやく近視用の眼鏡が貴族の手に入るようになったと推察できる。とはいえ、老眼とは違って近視は年齢にかかわらず多いから、一気に広まったであろうことも想像に難くない。そして、一六世紀の終わりには、町の眼鏡屋で凹・凸両レンズが自由に売買されるようになったのだろう。そのような時代背景があればこそ、一七世紀に入って、これらのレンズを組み合わせた望遠鏡や顕微鏡が発明され、「科学の実験器具的段階への突入」(アレクサンドル・コイレ)がもたらされたのである。

ガリレイの望遠鏡

一六一〇年、ガリレイは望遠鏡を駆使して夜空を観察した記録を出版した。『星界の報告』である。この本の表題には、トーマス・バリオーヌス出版による宣伝文句が付けられている。いわく、

……フィレンツェの貴族ガリレオ・ガリレイによる、重要な、まことに驚くべき光景を

くり拡げ、万人の耳目をそばだてさせ、真実を語る星界の報告。そのなかでは、最近著者によって考案された筒眼鏡により、月の表面・無数の恒星・天の河・星雲……が観測された

である。今も昔も本の宣伝は、精一杯の大げさな形容詞を動員するものらしい。週刊誌のセンセーショナルな宣伝文句の、「驚愕《きょうがく》の告白」「究極の真実」「戦慄《せんりつ》の事実」とまではいかないが（天下の岩波文庫だから、そのように訳していないだけなのかもしれない）、いかにも「耳目」を集めそうな文言が使われているから微笑ましい。そして、「最近著者によって考案された筒眼鏡」という勇み足も、現代の週刊誌に似ている。ガリレイが望遠鏡を発明したわけではないからだ。

そのことはガリレイ自身が、この本の冒頭部分で、

およそ一〇カ月ほどまえ、あるオランダ人が一種の眼鏡を製作した、という噂を耳にした。それを使えば、対象が観測者の眼からずっと離れているのに近くにあるようにはっきりみえる、ということだった

と、オランダ人の発明であると正直に書いていることからもわかる。出版社は、本文と異なる内容であっても、平気で「世界初」と書きたがるものらしい。続いて、ガリレイは、

そこで、ついに自分でも思いたって、同種の器械を発明できるように、原理をみつけだし手段を工夫することに没頭した。それからほどなく、屈折理論にもとづいてそれを発見したのである

と、望遠鏡製作に至った経緯を書いている。科学者らしく真実に対して謙虚な態度である。さらに、使ったレンズや原理を絵入りで詳しく説明しているところもなかなか親切で、世界で初めてハイテク実験装置を手中にした喜びのようなものが感じられる。

望遠鏡を最初に発明したのが誰であるかについては諸説紛々で、今でははっきりしない。公式記録では、一六〇八年に、ミッデルブルグ市の眼鏡師のハンス・リッペルハイが、オランダ国会に対して、遠距離観察器具の試作品を添えて特許申請をした、という書類が残っている（さすが歴史を重んじるオランダである）。ところが、この申請は、「類似品が国内に出回っていて、もう公知公用である」という理由で却下されてしまった。望遠鏡は、とっくの昔に発明されており、今や人々の日常品となっているので特許には値しない、と判断されたのだ。つまり、望遠鏡の発明はずっと昔のことで、今となっては特定できないのである。

とはいえ、望遠鏡が発明されたのは、一六〇〇年前後であろうことは確かである。だから、それ以前のコペルニクス（没年が一五四三年）が地動説を証明するために望遠鏡で天を見上げていた

り、コロンブスが望遠鏡で大西洋の彼方のアメリカ大陸を眺めていたり（コロンブスのアメリカ到着は一四九二年）、ということは歴史的にありえない。ところが、絵画や切手にそのような図柄が時折使われており、私たちもつい見過ごしてしまうが、これは誤りであることにご注意あれ。もっとも、マルコ・ポーロ（一三世紀末）が万里の長城から望遠鏡でジパングを覗いている図があって、これには笑うしかなかった。

ガリレイが最初に製作した望遠鏡は、対物レンズが凸レンズ、接眼レンズが凹レンズで（これをガリレイ式あるいはオランダ式と呼ぶ）、口径が四・二センチ、筒の長さ六五センチで、倍率は三倍程度であった。倍率だけでいえば、現代ではおもちゃの望遠鏡にも劣るくらいである。しかし、それが新天文学を拓いたのだから、やはり世界初のハイテク実験器具と言うべきだろう。同時に、望遠鏡は、ガリレイにとって出世のための貴重な小道具でもあった。彼は、全部で六〇本以上もの望遠鏡を製作したが、そのうちの一本をフィレンツェのトスカーナ大公（メディチ家のコジモ二世）に捧げて宮廷入りに成功したからだ。さらに、望遠鏡を使って発見した木星の四大衛星に「メディチ星」と名づけておべんちゃらもした。ガリレイは、前任のパドヴァ大学では年俸が少なく、家族を養うためにアルバイトに精を出さざるを得なかった。自意識の強かったガリレイは、自分は正当に評価されていないという不満を強く感じていたのだろう。せっせと売り込みに励んだのだ。おかげで、ガリレイの生活は大いに改善されたらしい。

そういえば、天王星を発見したウィリアム・ハーシェルも、この星に「ジョージ三世の星」と名づけてイギリス王室に捧げ、見事に王室付天文官に任命されたという逸話がある。いつの時代も天文学者は貧乏であり、パトロンを探さねば好きな天文観測が続けられないのだ。天文学者が金持ちにおべんちゃらを使う唯一の方法が、新発見の星に名前をつけて献呈することであった。天の世界に永遠に名前が記録されるという名誉欲を擽《くすぐ》ったのだ。もし、天王星が「ジョージ三世の星」という名前のままであったなら、私たちは「水金地火木土ジョージ海」と覚えねばならなかったことになる。ややこしいこと、この上ない。しかも、ジョージ三世はアメリカ独立戦争に大弾圧を加えたので有名な王様だから、アメリカは猛烈に抗議して改名するよう圧力をかけ続けたに違いない。そんなトラブルを予め察知していた賢明なる天文学者は、ハーシェルの死後、これを「ウラノス（天王星）」と改めた。土星（サターン）の外にあるので、ギリシャ神話のサターンの父の名を採ったのだ。ちなみに、ウラノスは、ガイア（大地）の夫で「天」の意味を持ち、核分裂を起こす元素「ウラン」の名づけ親でもある。

ガリレイが発見した「メディチ星」も改名させられたことを付け加えておかねばなるまい。現在、これらは、「木星の四大衛星」とか、「ガリレオ衛星」と呼ばれている。天文学に寄与しなかったメディチの名は剥奪されたのだ。そして、ガリレイの発見後、これを追試したドイツのマリウスによって、四つの衛星に名前がつけられた。内側から、イオ（ゼウスに愛された女神でゼウスの妻のヘラに妬まれ、雌牛に変えられてエジプトまで逃げていった）、エウロパ（ゼウスが白い牛になって彼女を背に乗せ、クレタ島へさらっていった）、ガニメデ（ゼウスのために酒の酌をしたトロイの美少年）、カリスト（アルカディアのニンフで、ゼウスに愛されたがアルテミスによって熊に変えられた）で、いずれもギリシャ神話でゼウスに愛された者たちの名前となっている。むろんそれは、木星がジュピター（ゼウス）と呼ばれたためである。閑話休題。

ケプラーの望遠鏡

実をいうと、ガリレイは光学についてはあまり得意ではなかった。むろん一流の物理学者だから、凸レンズが光を収束し、凹レンズが光を発散させるという基礎的なことは知っていたが、その組み合わせでどのような像が作られるかについての理論を知らなかったらしい。だから、彼の望遠鏡製作は、予めレンズの口径や筒の長さを設計するのではなく、自分でレンズを磨いては適当に並べ、実際に覗いてきれいな像を結んでいるかどうかを目で確めながら調整したらしい。実験家らしく試行錯誤で望遠鏡を作ったのだ。

ところで、凸レンズと凹レンズを組み合わせたガリレイ式の望遠鏡は、明るい正立像ができるという利点があるものの、視野が狭いという大きな欠点がある。拡大率が一五倍の望遠鏡では視野は六分くらいになり、視角（見たときの角度）が三〇分の月全体を見ることができないし、メディチ星と呼んだ木星の四つの衛星全部を同時に見ることができないのである。その意味では、地上で隣家の部屋を覗く望遠鏡としては便利だが、天体観測には不向きであったのだ。

同時代のヨハネス・ケプラーは、まず望遠鏡の結像原理の研究を行って『屈折光学』(一六一一年)を著し、しかる後、二つの凸レンズを組み合わせたケプラー式望遠鏡を発明した。ケプラー式は、倒立像にはなるものの、視野が広く取れるので天体観測にうってつけであった。星が逆さに見えても問題はないからだ(さらに、もう一枚凸レンズを挿入すると正立像が得られるので、地上望遠鏡としても好都合である)。これらの計算の上で、実際に望遠鏡を製作したのはレンズ屋のシャイナーであった。実験優先のガリレイ、理論優先のケプラーという特徴が、望遠鏡製作にもくっきりと表れていると言えそうだ。以後、地上望遠鏡はガリレイ式(レンズが二枚で済む)、天体望遠鏡はケプラー式、と使い分けられることになった。

望遠鏡(遠眼鏡とか筒眼鏡と呼ぶ方が何か郷愁を誘われるが)で遠くを見れば、秘密を覗き込むような楽しさがある。人は誰しも「出歯亀」根性があるためだろう、ヨーロッパでも望遠鏡は大流行した。当時、精密工業の中心地であったアウグスブルグのヴィーゼル商会の、さまざまな望遠鏡を製作して商売に励んだ記録が残っている(ドイツも歴史を重んじる国だ)。例えば、一六四七年に発行した価格表では、長さ四・三メートル(一四フィート)のガリレイ式望遠鏡は五〇デュカット、ケプラー式は六〇デュカット、地上望遠鏡は一二〇デュカット、となっている。一デュカットは現在の価格で約三万円に換算できるらしいから、望遠鏡は相当高い品物であったことがわかる。地上望遠鏡がケプラー式の二倍も高いのは、視野を広くし、正立像が得られるよう、四枚もの凸レンズを組み合わせたためらしい。大航海時代で、ヨーロッパからアフリカやアジア、そして南北アメリカへと進出した時代だから、軍艦や商業船の航海に不可欠な地上望遠鏡はどんどん進化したのである。

一般に、拡大率を大きくしようとすれば焦点距離を長くしなければならず、視野を大きく取るためにはレンズの口径を大きくする必要がある。つまり、大きなレンズを長い筒に装着した大望遠鏡製作の競争が始まったのだ。

例えば、一六五五年、オランダのホイヘンスは、哲学者で光学器機にも通じていたスピノザの協力を得て、焦点距離が三・三メートルもの望遠鏡を自作した。これを使ってホイヘンスは、土星（ギリシャ語でクロノス、英語ではサターン）を観察し、円盤状の輪と第六衛星であるタイタン（クロノスは、タイタンと呼ばれる巨神族の神々の指導者である）を発見した。実は、土星の輪の存在にはガリレイも気付いていたのだが、彼の望遠鏡では星の瘤のようにしか見えず、はっきりと本体から分離したリングであると決定できなかったのだ。望遠鏡を大きくしたがゆえに、ホイヘンスは土星から離れたところに輪が取りまいていることをはっきり確認できたのである。

このように望遠鏡の焦点距離が非常に長くなると、筒の部分を一本の棒だけにした「空気望遠鏡」を工夫するようになった。対物レンズと接眼レンズを棒に取り付けたようなもので、真っ暗であればその間が筒状になっていなくても光は横から入らないから問題はない。これで望遠鏡の大型化に弾みがついた。イタリアのカッシーニは、一六七五年に、口径一五センチ、焦点距離一一メートルの空気望遠鏡で、土星の輪に溝があることを発見している。現在でも、口径一五センチクラスの望遠鏡で土星の輪の溝を観測するのは困難で、カッシーニが優れた観察者であったことがよくわかる。

ポーランドのヘヴェリウスは、既に一六四七年に、口径一五センチ、長さ二三メートルの空気望遠鏡を建設していた。これを駆使して月面の海や山脈を細かに観察し、それぞれに現在も使われている名前をつけている。史上最大の長さの望遠鏡は、おそらく、このヘヴェリウスが建設した一五〇フィート（四五・七メートル）望遠鏡だろう。一六七三年に完成したもので、風が吹くたびに望遠鏡が揺れて観測に苦労したことと思われる。天体望遠鏡も、発明されて以来、常に「ビッグサイエンス」の道を歩んできたのである（『巨大望遠鏡への道』）。

望遠鏡と石けん

老眼鏡や近視用眼鏡がいつ日本にやってきたか、定かなことはわかっていない。おそらく、ポルトガル人が日本に「漂着」して（一五四三年）間もなくだろう。〝ヴィードロ〟が伝わり、ガラス細工が日本で始まったのだから、眼鏡製作も開始されたのではないだろうか（脇道にそれるが、数年前、アメリカの歴史教科書の年表を見ていたら、「ポルトガル人が日本を〝発見〟した（discovered）」と書かれていた。何だか、それまで日本は存在しなかったかのようで嫌な思いをした記憶がある。西洋中心の歴史観ではそうなるのだろうが、いかにも思い上がっていると感じざるを得ない。だから、コロンブスはアメリカを〝発見〟したのではなく、アメリカに〝到達〟、あるいは〝上陸〟したのであると強調しておきたい。ポルトガル人は、難破して日本に流れ着いたのであって、断じて日本を〝発見〟したのではない）。

　望遠鏡の日本への渡来については、信頼できる記録がある。江戸幕府の外交資料集『通航一覧』の一六一三年の頃である。ガリレイが望遠鏡を使って夜空を見上げてから、ほんの三年しか経っていない。当時の航海事情を考えれば、実に早く望遠鏡が日本に渡来したことがわかる。おそらく、人々は当時のハイテク器具である望遠鏡の威力に驚き、また大いに珍重したに違いない。というのも、東洋貿易を求めて平戸にやってきたイギリス軍艦クローブ号の艦長ジョン・セーリスは、わざわざ駿府にまで家康を訪ね、銀台鍍金《ときん》の筒入りの「靉靆《あいたい》」（筒眼鏡）を献上したからだ。これで江戸幕府の歓心を買おうとしたに違いない。ところが、『通航一覧』には、「長一間程之靉靆。六里見之」と、素っ気なく書かれているだけである。おそらく、「一間」（一・八メートル）の長さの「靉靆」を使えば、「六里」（二四キロメートル）彼方まで見ることができる、とセーリス艦長は宣伝に努めたのだろう。しかし、交易交渉は成功しなかった。皮肉なことに、この筒眼鏡は、外国船の監視と打ち払いにその威力を発揮することになってしまった。

　といっても、江戸時代に望遠鏡がまったく使われなかったわけではない。江戸時代半ば、大坂の麻田剛立などが天体望遠鏡を製作して、本格的な天文観測を行ったからだ。器用な日本人のことだから、実に精巧に作られた望遠鏡が現在も残されている。しかし、曇り空の多い日本なので、庶民が望遠鏡で星空観察を楽しむようにはならなかった。ところが、思いがけない場面で筒眼鏡が登場する。黄表紙である。林生作、鳥居清経絵の『黄金山福蔵実記《こがねやまふくぞうじつき》』という黄表紙は、福蔵という名の主人公が、オランダ眼鏡と呼ばれる、病人の腹中の臓器を透視するレンズ付きの器具、いわば今日のX線装置の要領で患者の容体を外部から検査して大儲けする話である。この清経の絵では、オランダ眼鏡とは筒眼鏡そのものなのだ。姫君のヘソに筒眼鏡を当てて腹中を見ており、むろん本当に腹内部の臓器が見えるわけではない。しかし、筒眼鏡で見れば、遠くの小さな物でも大きく見えて、すぐ側にあるかのように錯覚することを体験した庶民たちは、腹中が見えると思い込まされただろう。同じ趣向が築地善交の黄表紙『竹斎老寶山吹色《ちくさいろうたからのやまぶきいろ》』に使われており、式亭三馬はずばり『腹之内戯作種本《はらのうちげさくのたねほん》』という洒落本を書いているから、割に流行ったのかもしれない。筒眼鏡が変な使われ方をしたものである（『いのちの文化史』）。北原白秋は、『邪宗門秘曲』で、望遠鏡のことを、

波羅葦僧《はらいそ》の空をも覗く伸び縮む奇なる眼鏡

と呼んでいるが、空ではなく、腹を覗く（ことができると見せかける）道具として活躍したのだから。

望遠鏡と離れるようだが、このセーリス艦長が日本に売り込もうとした思いがけない商品のことを付け加えておきたい。「石けん」である。セーリスは、ロンドンの会社宛の手紙に、日本向けの有望商品として「スパニッシュ・ソープ」を推奨しているのだ。当時、ヨーロッパで人気のあった、カスチール（カスティリア）石けんやマルセル（マルセイユ）石けんなどの高級石けんが日本人の気に入ると考えたらしい。右手で望遠鏡、左手で石けんと、さすが大航海時代に貿易で活躍したジョン・ブルらしい逞しい商魂である。とはいえ、当時の日本で石けんが知られていなかったわけではない。ポルトガル人がヴィードロと一緒に「シャボン」も持ち込んでいたからだ。石けんという言葉も、一六〇六年に、林羅山が中国から入手した李時珍の『本草綱目』にある「石鹸」から採ったもので、「状石の如く鹸に類する故」と説明している。石けんそのものは既に知られていたのだ。

ところが、セーリスの思惑が外れて石けんは日本の庶民には好まれなかった。式亭三馬の『浮世風呂』では、風呂場で体を洗う用具として、白アズキの粉、ムクロジの果実の皮、糠袋をあげており、これらに加えヘチマや軽石が銭湯での必需品であった。いずれも自然物を利用したもので、糠袋やヘチマは今でも使われている。新しい物好きの平賀源内ですら、シャボンについて、「物を洗えば甚だ妙なり」と記してはいるけれど、特に研究した気配はない。江戸時代の人々は、肌に直接触れる物だから人工物より自然物を好んだのか、それともシャボンはキリシタンのものとして敬遠したのか、石けんには人気がなかったのである。その意味では、セーリスの日本への売り込みは失敗であった。

おもしろいのは、一八五三年にアメリカのペリー提督が浦賀に来航して幕府に通商を迫ったとき、献上品に石けんが含まれていたことだ（「歴史は半分繰り返す」と言うべきか）。また、日本の工業を育成するのに功があったドイツ人のワグネルは、明治元年（一八六八年）に長崎で石けん製造業を開始した。清潔好きの日本人だから、きっと石けんが気に入ると思ったのだろう。しかし、案に相違して売れ行き不振でワグネルは工場を閉鎖せざるを得なかった。日本人にはまだシャボンアレルギーが残っていたのだ。石けんが市民権を得たのは、ようやく明治の中頃になってからのことである。

とはいえ、セーリスは、四〇〇〇年も前に日本の現在を予見していた、と言えなくもない。日本がハワイに建設していた「すばる」望遠鏡と名づけた世界に冠たる望遠鏡を建造したし、今や日本人は何でも除菌のチョー清潔好きの人種に変貌して石けんが欠かせなくなっているからだ。望遠鏡と石けん、何の関係もなさそうだが、歴史の中では不思議な縁で結ばれているのである。

推理小説の凸レンズ

話がずれてしまったが、最後にもう一度凸レンズへ戻ろう。人間社会への登場が五タラントトンの訴訟であったためか、凸レンズは推理小説によく登場する。

ホームズやソーンダイク博士のような古典的探偵には、「虫眼鏡（ルーペ）」が欠かせぬ小道具であった。床板の隙間に夾《はさ》まっている埃や、壁にうっすらと残った血痕などを拡大して犯人を特定するための証拠にしたのだ。いわば顕微鏡的な使い方で、凸レンズの、一点から出た光を平行光線に変える作用を活用したことになる。光線を逆にたどれば、凸レンズは、平行光線を収束させて一点に集める、望遠鏡的な作用をする。悪党ズームドルフが密室で殺されたのは、偶然にも丸い水差しに太陽光線が当たったためである。まず水差しが凸レンズの役割を果たして太陽光を一点に集め、強められた太陽光がさらなる偶然で火縄銃の火薬に集められ火がついて暴発し、哀れズームドルフに天罰を下したのだった。それを見抜いた「アブナー伯父」は、ホームズを超える名探偵かもしれない。凸レンズが果たした一連の偶然を、かくも簡単に見抜いたのだから（『世界短編傑作選』2）。

第3章　「なんてん」――南天の赤き実よ実よ

NANTEN望遠鏡

私が名古屋大学に勤めていた頃、同僚であった福井康雄教授が率いたグループは、南米のチリに口径四メートルの電波望遠鏡を移設し、日本からは見えないマゼラン星雲を精力的に観測していた。この望遠鏡は、宇宙空間に存在している分子が放射する電波を捉えることができ、星が多数生まれつつあるマゼラン星雲の活動を生き生きと映し出すことに成功したのだ。

私たちの太陽系は、およそ二〇〇〇億個の星がCD盤のような薄い円盤状に群がった巨大な星の集団の一員である。円盤に添った方向には星が多数連なって見える。これが「天の川」だ。このような数億個以上の星の集団を「銀河（ギャラクシー）」と呼び、特に私たちが属する銀河を、「銀河系（ザ・ギャラクシー）」あるいは「天の川銀河（ミルキーウェー・ギャラクシー）」と呼んでいる。

たかだか一〇〇年の人間の一生から見れば、星は永遠に輝いているように見え、「恒星」と呼ばれているが、光エネルギーを常に放ち続けているのだから、いずれエネルギー源が涸渇して寿命を迎えることになる。太陽の寿命は約一〇〇億年だが、太陽の一〇倍も重い星の寿命は一億年しかない。太陽を人生一〇〇年に喩えると、一〇倍重い星は一年で一生を終えることになる。星は重ければ重いほど、いっそう明るく輝き、エネルギー消費率が大きくなるので寿命は極端に短くなるのである。

もし、星が銀河系の誕生時にいっせいに生まれて、その後には星が一切生まれなかったとすれば、銀河系の年齢は一三〇億歳くらいと見積もられているので、太陽より重い星は寿命を終えて見つからないはずである、しかし、太陽の重さの一〇倍以上の星も多数見つかっており、これらはごく最近生まれたと考えざるを得ない（太陽は、およそ四六億年前に生まれた）。実際、銀河系内部では、現在も星が誕生していることがわかっている。オリオン星雲やおうし座星雲では、ガスが雲のように分厚く集まり、その内部で星が生まれていることが目撃されているからだ。とはいえ、その姿は、ガス雲が放つ電波や生まれたての星が放つ赤外線でしか見えない。波長が短い可視光は雲によって吸収されてしまうためで、同じ電磁波の仲間の電波や赤外線のような波長が長いものしか地球に到達しないのだ。そのため、星が生まれている現場を観測するには、電波望遠鏡が不可欠の装置となる。福井教授のグループは、まだ電波望遠鏡が完備されていない南半球に率先して望遠鏡を持ち込み、マゼラン星雲における星誕生の様子の詳細観測を行ってきたのである。

マゼラン星雲は、かの世界周航を行ったマゼランが確認した星の集団であるためこの名がついているが、むろん南アメリカやオーストラリアなど南半球の先住民たちは、ずっと前からこの星団の存在を知っていた。マゼラン星雲は、肉眼でもくっきり見えるが、銀河系内の天体ではない。天の川を越えた向こう側にある小型の銀河で、星が約一〇〇億個集まった大マゼラン星雲と、その一〇分の一くらいの小マゼラン星雲の二つが、互いの重力で結合した連銀河である。私たちの銀河系に比べ、一〇倍近くも活発に星の生成が起こっていることが可視光の観測からわかっていた。銀河系に比べて、若い星の割合が一〇倍も多いのだ。

そこで、福井教授は、徹底的に星生成の現場を調べようというプロジェクトを立ち上げ、名古屋からチリに電波望遠鏡を移設することにした。その際、望遠鏡の愛称を公募し、「NANTEN」が圧倒的多数で採用された。むろん、いつも南の空を見上げているので「南天」としたのだが、寒い季節でも緑の葉が茂る強い木で、赤い実をたわわにつけてお正月を祝ってくれるめでたい木の「ナンテン」にも掛けている。木下利玄《きのしたりげん》は、

向う岸の　崖の日なたの　南天の　赤き実よ実よ　さなむづかりそ

と詠っているが、陽の当たる崖っぷちで、駄々をこねているかのように、赤い実が押し合いへし合いしている様が目に見えるようだ。ナンテンの小さな丸い実は、まるで丸坊主の子どもたちが群がっているのに似ている。寒さに負けず、逞しく育つナンテンのように、精力的に研究を進めたいという福井教授の願望も込められているのかもしれない。

南天の霊力

南天の故郷は中国中部の温帯地方で、漢名の「南天竹」あるいは「南天燭」に語源があり、日本では西日本に広く自生している。「難を転じる」という語呂合わせでめでたい木とされ、縁起のいい木として庭に植えている家も多い。実際、家の鬼門の方向にあたる東北部（あるいは西南部）に南天が植えられているのにお目にかかる。南天の木には、何か霊的な力があると信じられたのだろう。曲亭馬琴編の『俳諧歳時記栞草』（以下、『栞草』と略す）に、

これを庭中に植れば、火災を避べし。甚験あり

とある。火事避《よ》けの霊験あらたかというわけだ。長崎の諺にも、「南天の夢消やし」があって、初夢などで悪い夢を見たときは、人に話さずに南天のそばに行って、木を揺すると消える、という言い伝えがある。あの赤い実に霊力を連想したのかもしれない。

そういえば、お祝いのときに配る赤飯に、南天の複葉が添えられているのも、縁起をかついでいるのかもしれない。西鶴の『好色一代女』の巻四に、一代女に対して新しい奉公先の乳母の、

湊の藤見に、大重箱に南天敷きて、赤飯山のやうにして、行きます

という台詞がある。既に江戸時代には、赤飯に南天の葉は付きものになっていたのだろう。私に子どもが生まれたとき、隣家や親戚にお祝いの赤飯を配るよう姉に命じられたが、それにも南天の葉を添えた。『栞草』には、

葉、苦楝《くれん》のたぐひにて小なり

とある。苦楝とは香木の栴檀《せんだん》のことで、葉の形が似ているらしい。「栴檀は双葉より芳《かんば》し」と、優れた子どもであってほしいと願う気持ちの表れなのだろう。さらに、南天の実にも子どもの健康を祈りたいような気持ちになる。

実南天　小さき幸知る　子に育てむ（花田春兆）

からは、赤い実に託したわが子への思いが感じ取れる（『俳諧歳時記』）。英語でも「神聖な竹（sacred bamboo）」という呼び方があり、洋の東西を問わず、南天の醸し出す一種荘厳な雰囲気が共通に感じられたのだろう。

わが家の狭い庭にも高さ二メートルにもなった南天があり、梅雨時に咲く白い花、夏の陽に映える緑の実、そして冬時の日光に輝く赤い実が、貧相な庭にアクセントをつけているかのようである。寺田寅彦の部屋からも庭の南天が見えたようで、

箱庭の　南天赤し　窓の下

という句を作っている（『寺田寅彦全集』第一一巻）。何だか、わが家の庭とそっくりである。もっとも、箱庭とは言いつつ、彼が残した水彩画を見れば庭の広さはわが家とは段違いに広い。実際、寺田家の庭には、

杉は緑　南天赤き　アーチ哉

と、アーチ状に見えるくらい南天の木が茂っている程なのだから。

藤原定家は草木が好きで、知己に頼んで多く蒐集《しゅうしゅう》し、彼の邸《やしき》周辺はさながら植物園のごとき様であった、と伝えられている。後鳥羽上皇が勝手に柳を二本持ち去ったため大騒動になった事件があり、定家と上皇の不穏な関係の一因になったこともよく知られている。堀田善衛《ほったよしえ》は、定家にとって樹木や花卉《かき》の持つ幽玄性が詩歌への内的な契機であったのだろう、と述べている（『定家明

月記私抄』続編)。定家の日記『明月記』の寛喜二年(一二三〇年)六月二二日の項に、

暮レニノゾミ、中宮ノ権ノ太夫、南天竺(筆者注――ナンテンのこと)ヲ選バレ、前栽ニ之ヲ植ウ

とあり、大切な庭木の一つと記している。南天を贈られたことがよほど嬉しかったのだろう。ナンテンの果実は、「天竺子(あるいは南天実)」という生薬で、今でも咳止めの漢方薬に使われている。果実にはドメスティンというアルカロイドが含まれていて、それが胃腸疾患や眼病に効くらしい。江戸時代にはナンテンの品種が四二、明治初期には一〇四も記録されていることから、実用を兼ねたナンテン栽培が大いに流行し、さまざまに品種改良が試みられたことがわかる。特に、白いナンテンの実(シロミナンテン)がよく効くとされ、高く売買されたらしい。ならばと、赤い実を脱色して白い実に見せかける輩も出現したそうで、いつの世でもずる賢い人間がいるものだ。私の散歩コースにもシロミナンテンの木があるが、やや黄色みを帯びた実は赤い実に比べて粒が大きく見える(木を手折っていると疑われてはいけないから実際に手に取ってみたことはなく、本当に大粒なのかどうかわからないけれど)。私の目には、シロミナンテンというより、キナンテンに見える。寺田寅彦もそう見たのか、

南天や　黄南天も　交りけり

と詠んでいる。さらに、完熟しても赤くならない、淡紫色の果実をもつフジナンテン（藤南天）という変種もあるそうだ。散歩の途中で探しているが、まだフジナンテンにはお目にかかっていない。

邯鄲《かんたん》の枕

南天は、確かに木ではあるけれど、なかなか太い幹にはならない。茎の形成層があまり生長しないためで、木質化した草という方が正確かもしれない。その意味で、中国で「南天竹」、英語で「サクレッド・バンブー」と呼ばれ、竹の仲間とみなされたのも無理はないだろう。しかし、年を経て太くなった逸物もたまにはあり、金閣寺夕佳亭の床柱が南天であるという伝承もある。『栞草』には、「南天花」の項目に『和漢三才図会』からの引用として、

　　闌天竹《らんてんちく》と名づく。（略）作州・土州の山に、長さ二丈余、周《めぐ》りて一尺二三寸なるもの有。枕に作る、俗に邯鄲《かんたん》の枕と云

と書かれている。「邯鄲の枕」とは、官吏登用試験に落第した盧生が、趙の都の邯鄲で、栄華が意のままになるという枕を借りて寝たところ、次第に立身して富貴を極めたが、目が覚めると枕元の黄粱《コウリャン》がまだ煮えないくらい短い間であった、という故事のことである。人生の栄枯盛衰のはかないことの喩えとなっているが、そのときの枕が南天の木でできていたらしい。思わぬところで、話がつながるものだ。

ナンテンのヨーロッパ・デビュー

ナンテンは、日本や中国など東洋の温帯に特有の植物であり、一八世紀までヨーロッパには知られていない植物であった。これを最初にヨーロッパに紹介したのはドイツ人のケンペルで、ペルシャからインド、セイロン、ジャワを経て日本までやってきた（一六九〇年）。その旅行記録を『廻国奇観』として出版したが、そこで日本のナンテンを詳しい観察図とともに紹介したのだ。

植物学の観点でナンテンを分類して紹介したのが、「日本のリンネ」と呼ばれたツュンベルクである。彼は、一七七五年に長崎を訪れ、一年四カ月ばかりの日本滞在の間に精力的に植物採集を行って、『フローラ・ヤポニカ（日本植物誌）』をまとめ日本の植物相を広くヨーロッパに紹介した。一七七六年、長崎の商館長フェイトが一〇代将軍家治に拝謁するため江戸へ参府したとき、ツュンベルクも付き従い、各地の植物・動物・鉱物・薬種などを蒐集した。このとき、旅の途中の小倉の宿で目にしたナンテンの枝と葉を標本とし、新属新種の草木として記載した、と伝えられている。南天の学名のナンディナは、南天から採られたという。

ヨーロッパにはないナンテンだから、ツュンベルクは間違いも犯している。ヒイラギナンテンは、ナンテンとよく似てはいるが、属は違っている。ナンテンは、メギ（目木）科ナンテン属の植物で、この属にはナンテン一種しかない。一方、ヒイラギナンテンは属が異なり（ヒイラギナンテン属）、ヒマラヤから中国・台湾には分布しているが日本には自生しておらず、やっと一七世紀末になって日本に渡来したと考えられている。しかし、ツュンベルクは、日本固有と誤解して、この種小名の学名に「ジャポニカ」を採用してしまった。日本に自生していなかった種に「日本の」と名づけてしまったのだ（『根も葉もある植物談義』）。

南天と羅漢の寺

『京都　花の道をあるく』を読んでいたら、深草の石峰寺《せきとうじ》という黄檗宗《おうばくしゅう》のお寺の南天が素晴らしい、と書かれていたので、冬のさなか思い立って訪ねてみた。苑地いっぱいに広がっている南天の林は私を圧倒するものであった。落ちた実から芽を吹いた数十センチの小南天から、三メートルを越す大南天まで、さまざまな丈の南天が茂り、白南天も混じって寒さに負けずに元気良く育っている。赤い実をじっと見つめると、子規が、

南天を　こぼさぬ霜の　静かさよ

と詠ったように、降りた霜がうっすら実の表面を覆っているのがわかる。そのため、いっそう実の輝きが鮮やかに見える。私には、雪が降って赤い実に積もり、白と赤のコントラストが見事であったという記憶がどこかにある。故郷の家の離れの入口に大きな南天の木があり、滅多に降らない雪の場面が強く印象に残っているためだろう。子規も、

南天に　雪吹きつけて　雀鳴く

という句を作っている。南天と雪の組み合わせは、かえって雪の少ない地域に住んだ人間の記憶に刻み込まれた風景なのかもしれない。漱石は、

南天に　寸の重みや　春の雪

と、水分の多い春の雪の重みに耐えている南天の実に同情している。

南天（あるいは南天の実）は、俳句の季題では冬になっていたり、秋に入れられていたりしている。宝井其角《たからいきかく》は、

南天の　実をつつめやと　雁の声

南天や　秋をかまめる　小倉山

と、秋の句として詠んでいる。紅葉と南天が描かれた画幅を前にしての句作らしい。

もっとも、花は夏に咲くから、「南天の花」は夏の季語であり、

南天の　花咲く笠間　稲荷かな（大竹朝子）

と、小さな白い花がそっと咲く風情が詠われている（『俳句歳時記』）。

この石峰寺の本堂の裏に回ると、五百羅漢が並んでいた。江戸時代中期の画家である伊藤若沖《いとうじゃくちゅう》が、この寺の庵室に隠栖《いんせい》し、羅漢像を描いては石工に彫らせたものだ。釈迦を迎える笑顔の羅

漢、説法に聞き入る神妙な顔の羅漢、入寂した釈迦に泣き崩れる羅漢など、さまざまな表情をした羅漢像は極めて人間臭い。私の故郷の近くの兵庫県北條町にも五百羅漢の石像があったことを思い出す。この羅漢像は、稚拙な荒削りで、眼窩《がんか》が深く彫られ異邦人を思わせる表情であった。眉や目の線のちょっとした曲がり具合からしか表情が窺えないが、じっと眺めていると、そこに深い悲しみが込められているような気がしたことを思い出す。五百羅漢とは呼んでいるものの、故郷を遠く離れ、異国から望郷の念で遠くの空を見つめている石の群像という趣だった。

第4章 「あわ」――宇治川の水泡さかまき

「泡」の話題ふたたび

「新しい博物学」と称して、文学と科学に関わるエッセイを書き（『天文学者の虫眼鏡』（文春新書）、改版して『中原中也とアインシュタイン』（祥伝社黄金文庫）、これを前著と呼ぶ）、そこに「泡」を取り上げた。「うたかたと空しく消えた我が理論」に未練があって書かずにはおれなかったためで、『泡宇宙論』（ハヤカワ文庫）として、宇宙における泡尽くしをまとめたこともある。それで終わったはずなのに、今ふたたびここで取り上げるのは、やはり一瞬でも画期的な理論だと思い込んで宇宙論の研究に没頭した昔が懐かしく思われ、「泡」に関連する事柄が常に頭を離れず、また「泡」という言葉を目にするとつい惹きつけられ、何がしかのことを語りたくなるからだ。

二〇二一年になって「バブル（泡）」の言葉が頻繁に使われるようになった。新型コロナウイルスの感染蔓延の下でのオリンピック・パラリンピックで「バブル方式」が行われ、「ソーシャルバブル」なる言葉が市民権を得たからだ。競技場を大きなバブルで包み込むようにし、検査を受けた選手はウイルスに感染しないようホテルと競技会場との間を往復するだけとして、観客やメディアやスタッフと選手との間をバブルの膜で遮断状態にするのが「バブル方式」である。「ソーシャルバブル」は、バブル方式による隔離の実生活版で、家族や仲間など一〇人ほどをシャボン玉で包むように集団化し、それ以外とは厳格に距離を置くというものだ。バブル内で知人との接触を少し増やすことにして孤立感と疲労感を癒しつつ、ウイルス感染が拡大しないようバブルで外部と遮断して距離確保を図ろうという算段であるらしい。

いずれもバブルの膜は透明だから閉じ込められても外の光景は見える。しかし、強靱で簡単に壊せず、そこから出ることはできないから人々との自由な交流はできず、隔離生活が強要されるのである。いかにも欲求不満になりそうなやり方で、ウイルス感染防止のためとはいえ、バブルに閉じ込められるのは大変だなと思ってしまう。その是非はともかく、私がこれまで使ってきた「バブル（泡）」のイメージとは根本的に異なってしまうので厄介である。

もっとも、読者の多くはおそらく右の私の著書を読んでおられないだろうから、私が使ってきた「バブル（泡）」のイメージはご存知ないと思われる。私のイメージは、辞書に載っているように、①あわ、あぶく、②消えやすいもの、はかないもの、③投機による土地や株などの高騰、という通常の短命の「あわ」である。一気に膨らみ、長続きせずにすぐに萎んだり壊れてしまうもので、バブル景気も含まれる。いずれも寿命が短いという特徴があり、そこに儚さを感じたり、無常観を込めたり、移ろいやすさを重ねたりと、少々の空しさと哀切さが混じった気持ちとを同調させることができた。

ところが、新たに登場した「バブル（方式）」には、外部と遮断した状態で人々を長く閉じ込める、のだから堅牢で同化を拒否する「透明の強固な、押し付けられた壁」という意味が新たに加わってきたことになる。バブルに穴（孔）が空いても簡単には壊れず、閉じ込め機能は継続する。バブルを構成するものが物質でなく、公権力による規制とか、監視網とかだから、穴が空いても持続して厄介である。

さらにまた、デジタル時代になって、外部からの数多くの情報に対してフィルターをかけ、気に入らない情報を遮断して自分の気に入る情報しか入ってこないようにするのを「フィルターバブル」と呼ぶそうである。これも「バブル」が壁や砦のようなもので身を隔離する意味に使われているのだが、この場合は、まったく個人の選択なので本人の意志次第で簡単に消すことはできる。このように言葉は時代の変化に応じて新しい意味が加わっていくもので、旧来のイメージのままでは通用しなくなることがあるとしみじみと思う。

そこで、まだ時代遅れにならないうちに、再度私の「あわ」を開陳しておかねばならないと考えた。「バブル（泡）」の意味がそう簡単に置き換わってしまうとは思わないが、言葉は魔物だからしっかり捕まえておこうと思ったためである。

泡はうたかたなのか？

「あわ」の漢字は二つあって、「泡」と「沫」である。その二つをくっつけた「泡沫」を「うたかた」と読ませることもあれば、「ほうまつ」と読ませたりもする。「うたかた」は、「うたかたの恋」とか、鴨長明の『方丈記』の冒頭の「淀みに浮かぶうたかたは」にあるように、格調が高く意味深長に使われ、「ほうまつ」は選挙で当選する可能性の極めて少ない候補者のことを「ほうまつ候補」というように、重要でない、取るに足らない、問題にならないという意味に使われる。二つとも「はかない」の意味は同じなのだが、読みの違いによってかくもニュアンスに差が生じるのである。

「泡」の旁《つくり》である（音を表す）「包」はもともと、お母さんがお腹（内部）に赤ちゃんをかかえている様を表し、「つつむ」という意味とともに、「はらむ」「みごもる」「しげる」との字義があり、「さかん」という含みがある。その盛んなもの（たくましいもの）を偏《へん》であるサンズイ（つまり水）で包んでいるのが「泡」という字である。水の泡は短命（うたかた）であるのが常識なのだが、内部のたくましいもの（空気の圧力）を水でくるんでいるためと言える。水の力が弱いため、内部のたくましいものの力で泡は簡単に壊れると思いがちだが、そうではない。実は、泡は水の表面張力によって縮まろうとする力が強く、内部のたくましさに勝っていて内に向かって壊れるから短命なのである。だから、表面張力を弱める界面活性剤を水に加えると長命の泡を作ることができる。子どもが遊ぶ屋根まで飛ぶ長命の大きなシャボン玉の液は界面活性剤入りの水なのである。包を旁（音）とする漢字には、咆・鞄・鮑・抱・砲・胞・飽・庖などがあり、偏が内部のたくましいもの（包）をくるむ物（口・革・魚・手・石・肉体・食物・家）を表していて、どのような意味に使われるかがわかる。

もう一つの「沫」は、「つばき」とも読む。「沫」の旁の「末」は木の枝の先端のことで、「沫」にはしゃべっている口から飛び出す水の先端である「しぶき」の字義があり、ごく小さな泡に対応する。この字の意味に影響されて口からとばす「沫」は、「あわぶく」、そして「あぶく」と呼ぶようになったらしい。新型コロナウイルスでは「飛沫」感染が問題にされて、ウイルスを通さない不織性のマスクの着用が推奨されてきた。これらもひっくるめて、「泡」「沫」にはたくましいものを内包するもとの意味から、内部には何もなくてスカスカという状態を表すようにもなった。つまり実が籠もらないことから、まともな労働によらないで「あぶく（泡・沫）銭」を稼ぐというように使われるようになったのである。言葉というのは連想とともに多様に展開し、意味も変わっていくものであることがよくわかる。

「水泡・水沫」のことを「みなあわ」と呼び、やがて「みなわ」という風雅な言葉となって『万葉集』では多数使われている。山上憶良は、

水沫なす　微《もろ》き命も　栲縄の　千尋にもがと　願い暮らしつ（巻五　九〇二）

と命の儚さを嘆き、楮《こうぞ》でできた強い縄のように長い命が欲しいものだと詠っている。しかし、彼はこの歌を詠んだすぐ後に亡くなってしまった。まさに水沫のような脆い命であったのだ。また、笠金村《かさのかなむら》は、

泊瀬女《はつせめ》の　造る木綿花《ゆうはな》　み吉野の　滝の水沫に　咲きにけらずや（巻六　九一二）

と、吉野川の滝が落ちるところに生まれる水の沫を詠ってはいるが、木綿花の添え物に過ぎない。この歌は天皇を密かに称える意図があったらしい。ところで、柿本人麻呂は、

巻向《まきむ》くの　山辺《やまへ》とよみて　行く水の　水沫のごとし　世の人我は（巻七　一二六九）

宇治川の　水泡さかまき　行く水の　事帰らずぞ　思い染めてし（巻十一　二四三〇）

と、山辺とよみて（山のへに響き渡って）流れる水の沫と詠い、あるいは宇治川の水泡がさかまくような速い流れと詠っている。川の流れのダイナミックな光景とそこで生まれる水沫・水泡の

儚さとを対比しているのが印象的である。さすが人麻呂と言うべきだろう。

ところで、「あわ」を意味する英語にはバブル（bubble）とフォーム（foam）があり、前者は一つ一つと発生する大きな「泡」に対応し、後者は多数の小さな泡粒とか次々発生する無数の気泡に対応する「沫」としてよさそうである。だから、「泡」は何らかの激しい作用で一気に膨らんでいく大きな「あわ」を意味し、「沫」はしぶきのような小さい「あわ」の集合である。『万葉集』は万葉仮名を含めてすべて漢字で書かれているが、同じみなわ（みなあわ）と読ませても、水泡・水沫の使い分けがあると考えるべきだろう。身近にあるものでは、前者の水泡は息を吹き込んで膨らむ風船、後者の水沫は船のスクリューで船尾に次々と発生する水の泡、あるいは洗顔フォームのような肌にやさしいクリーミーな泡と対応させればいいかもしれない。

バブル騒動

「芸術は爆発だ！」と岡本太郎が言ったそうだが、この場合の「爆発」は感情の激しいほとばしりのことである。科学の世界の「爆発」はエネルギーが瞬間的に放出されることで、それによって周辺のガスの圧力が急速に高まり、衝撃波が励起されて周囲に伝わっていく。衝撃波が通過した部分はガスが掃かれて希薄（スカスカ）になり、衝撃波の先端部には掃き集められたガスが溜まる。つまり、ガスが集中した衝撃波の先端部が「泡」の膜のようになって、ガスがスカスカの「泡」の内部空間を取り巻くようになる。要するに、爆発によって「泡」が形成されるのだが、金余りや希少なものが異常な人気を呼んで投機を誘起するのがマネー爆発で、それによって経済の実態を大幅に上回る投資が促されて発生するのが経済の「バブル」である。

科学と関係があるのが、一七世紀のオランダで起こった「チューリップバブル」があり、一九世紀の江戸時代の日本で起こった「園芸バブル」(カラタチバナやアサガオなど)であった。科学(植物)と経済学が「バブル(泡)」で結びつくのである。

チューリップの原産地はトルコで、一六世紀半ばにオスマン帝国からオランダに送られ、一七世紀に入った頃にオランダでも栽培できることがわかってから人気が出始めた。折しも、オランダは独立を果たし、東インド会社を通じて経済力が非常に向上した時代である。鮮烈な色の花弁を持つチューリップは人気となり、赤・黄・桃色の単色のもの以外に、赤や桃色の地に多色の線入りのものが栽培されるようになった。園芸家らの努力の賜物である。やがて、複雑な形の花弁に多様で微妙な色の縞模様が入った新品種のチューリップが登場し、その球根が異常な高値を呼ぶようになった。ちょうどその頃、公式市場での先物取引(手形決済)でチューリップの売買が可能になり、利益を得たい投資家が球根競売に参加するようになって、一気にチューリップの価格が上昇した。ついに球根一個の値段が運河沿いにある一軒の家を買えるほどになったという。まさにチューリップバブルが引き起こされたのであった。ところが、一六三七年二月には実物の球根のやり取りがない手形取引ばかりとなり、ペストが流行し始めたこともあって、バブルは一気に萎んでチューリップ狂騒は終焉した。

その後わかったことだが、異常に高値を呼んだ、実に微妙な美しさを称えられた球根は新品種ではなく、チューリップモザイクウイルスと呼ばれるウイルス病に感染したことによる突然変異であった。ウイルス病であればこそ、色合いが淡く多彩になって美しくあでやかな姿となったのだ。そんな優美な模様のチューリップは容易に手に入らないのがバブル人気の元凶であった。ウイルス病は球根を通じてしか子孫に伝わらないのだが、親の球根そのものが病気で弱っているから子の球根を育てるのがむつかしく、さらに突然変異で色合いが決まるので最初から計算できないという問題があって、持続せずバブルが弾けた理由である。オランダのチューリップバブルは、科学的要素と人間の欲望に基づく経済的要素が絡み合っての出来事であったのだ（『欲望の植物誌』）。

他方、江戸時代の園芸バブルには違った側面がある。江戸時代を通じて、上は将軍から下は長屋の庶民層まで、多くの人々が植物を育て花づくりに情熱を傾けたからだ。その背景には、草花を神仏に供える習慣から「生け花」文化、そして園芸技術の拡がりと発達があった。また、陶器の「植木鉢」が量産されて安く手に入り、どこでも鉢植え植物が育てられるようになって多数の「数寄者《すきもの》」が現れて品種改良に励むようになったこともある（『江戸の花競べ』）。実際、幕末に来日したイギリスの植物学者であるロバート・フォーチュンは、花を愛で育てるのを楽しみとしている江戸の人々の文化の高さに強く感動している（『幕末日本探訪記』）。私は、「江戸の好奇心」と呼んでいるのだが、江戸の人々の、役にも立たないことに夢中になって入れ揚げる、その好奇心の強さが江戸文化の重要な特徴であると思っている。その一つが園芸・花づくりなのである。

ここでは「珍草奇木」と呼ぶ、変わりものの植物やその変異種に興味を持って、育て増やし互いに展示して自慢し合った園芸について取り上げよう。ついには何百両という値段がつくほどになって、バブル状態を呈したものもある。

その一つは、一七九七年頃の数年間に爆発的な人気を博した植物にカラタチバナがある。常緑の低木で、葉は大きくて厚く、一年以上も赤い実をつけたままであることから、子孫繁栄の目出たい木として珍重されていた。鉢植えにして葉の形や斑模様の変わったものが注目されるなかで、実をつけてから次々と変異株が生じることが評判になって「ヒャクリョウ(百両)」という名がついて投機の対象になった。さらには、一鉢千両を超えるものもあって、まさにバブルであった。長生舎主人と名乗った幕臣の栗原信充が『金生樹譜』という投機を煽るような本を書いているのだが、「この世の中で金生樹(カネノナルキ)というは、からたちばなやおもとではなかろうか。(略)百両、二百両もする」と証言している。

付け加えれば、カラタチバナに「百両」という名がついたためか、同じような赤い実をつける低木・常緑の種のアリドウシに「一両」、ヤマタチバナに「十両」、クササンゴに「千両」、ヤブタチバナに「万両」という名がついている。カラタチバナ以外は、金の生る樹となるよう、その呼び名にあやかって植木屋が付けたのではないかと思われる。因みに、ヤマタチバナは別名がヤブコウジで、寺田寅彦がペンネームとして使っていたのが「藪柑子《やぶこうじ》」で、明治・大正時代に流行した「紫金牛《こうじ》」のことであるらしい。

もう一つの園芸バブルは第一二章でも触れるが「変化アサガオ」と呼ばれている、アサガオの花の色・色の変化・形・大きさ、花の付き方、茎や葉の形や大きさなど、江戸時代後期に実に多種多様な新品種が生み出されたことである。アサガオは奈良時代に中国より渡来し、「牽牛子」と呼ばれて薬用植物として使われてきた。江戸時代になるまで、ほぼ藍色の花しか知られていなかったのだが、一八世紀中ごろから異なった色のアサガオを産出するようになった。さらに、一九世紀に入った文化・文政の時代（一八〇四〜三〇年）に一大ブームが起こり、また嘉永・安政時代（一八四八〜六〇年）には新たに多種多様な品種が加わって二度目のブームとなったそうである。そこで江戸っ子雀が創った川柳に（『川柳江戸歳時記』）、

朝顔を　小判で買うは　江戸ばかり

朝顔に　珍花ができて　五十両

があり、アサガオは庶民的な花であったのに、小判が必要になり、ついに変化アサガオには五〇両もの値段がついたことがわかる。まさに朝顔バブルが起こったのであった。

園芸家は、少しでも変わったアサガオであると認識すると、まずその株から種を取って系統として分類する作業をする。アサガオは一年生で冬になると枯れてしまうから、種を取って分けておく必要があるからだ。その花の種を毎年粘り強く蒔き続けることで、ごく稀な劣性遺伝のものを復活させ、さらに異なった姿形の「変化アサガオ」を作出しようというわけである。メンデルが豆で行った遺伝の実験を、江戸の園芸家たちは既に行っていたと言えよう。むろん、原理や法則性にまでは考えが及ばず、劣性遺伝の実験を熱心に繰り返していたに過ぎないのだが。

宇宙はバブル

さて、最後に、ご存知ではない方に、「泡と消えた私の泡宇宙論」の解説をしておきたい。ほぼ四〇年前に提案し、その二〇年後にぽしゃり、さらに二〇年経って完全に忘れさられてしまった、という次第なのだが、この理論がきっかけになって「泡」のアレコレを議論するようになったただけに忘れがたいのだ。

一九七〇年代は天文学が大きく転換した時代で、当時としては口径が三〜四メートルクラスの大型望遠鏡が稼働し始め、CCD（荷電結合素子）と呼ばれる半導体素子が天文観測に使われるようになった（フィルムではなく半導体素子を使ったカメラはその後、携帯電話に応用され、今やスマホ撮影が当たり前になった、という歴史がある）。その結果、宇宙の遠くに散らばる銀河の距離を測定して三次元的な立体分布図が描けるようになった。その研究から明らかになったことは、宇宙の銀河分布は台所で皿を洗っている時の洗剤（シャボン）の泡の列に似ているというものであった。台所に見るシャボンの泡列とは、水の薄い膜が泡内部の何もない空洞を取り囲んでおり、その泡が多数互いにぶつかり合っている姿である。観測によって得られた銀河の空間分布はまさにこのシャボンの泡列の形状にそっくりなのだ。実際には、銀河は泡の膜の部分に散らばっていて何も見えない空洞をとり囲み、それがシャボン液に息を吹き込んだときに拡がっていく泡のように、次々と連なっているのである。このような形の類似性から「宇宙の泡構造」と呼ばれるようになった。一九七〇年代の後半で、ちょうど日本はバブル経済が真っ盛りのときであった。「宇宙もバブルか！」と新聞に書かれたことを覚えている。

バブルの形成には急速なエネルギーの解放、つまり爆発がつきものである。そう考えた私は、銀河の先代にあたる天体が爆発して衝撃波を周囲に拡がらせ、その先端部に掃き集められた物質によって銀河が形成されるとした理論を提案したのであった。衝撃波は丸く大きく広がっていくうちに互いにぶつかり合うようになって、掃き集められた物質から生まれた銀河は泡の膜を成す部分に分布することになる。そして、衝撃波の内部の物質は先端部へ集められるから、泡の内部は何もないスカスカの空間が拡がっているのみになる。これが「私の泡宇宙論」のエッセンスで、見事に銀河の空間分布を説明しているではないか。

この極めて素朴な思い付きの理論は、アメリカの著名な学者が同じアイデアの理論を発表していたこともあり、その後二〇年の間なんとか命脈を保ち続けた。競合する銀河形成論の重要な一つとして丁重な扱いを受けていたのだ。しかし、コンピューターを駆使したシミュレーション（模擬実験）手法が発達するとともに、最初に宇宙物質の小さな凸凹があれば、わざわざ爆発というような動乱がなくても、重力の作用によって自然に泡構造が形成されることがわかってきた。要するに、天然の造化は己がままの振る舞いに任せておけば、何ら手を加えずとも泡のような形状が自然に形成されるのである。自然は簡素・単純であることを好むのだ。こうして、私の泡宇宙論は「泡のごとく」儚く消えてしまったというわけだ。

しかし、宇宙はビッグバン（大爆発）で始まったとする理論は現在正統派宇宙論の本道を歩いているし、銀河や星の爆発が宇宙のあちこちに起こっている。宇宙には爆発が付き物で、「宇宙はバブル」なのだ。そう思えば、いつ私の泡宇宙論が復活するかもしれない、と密かにありもしない妄想を抱いている私なのである。

物理

第5章 「じしゃく」――古郷を磁石に探る霞かな

磁石と電気

小学生の頃、理科の時間で一番不思議だったのは、磁石の実験だった。何の変哲もない鉄の棒なのに、離しておいた針や釘を手に感じるくらいの強い力で引きつけるからだ。ところが、アルミのコップやガラスは嫌いなのか、そばにくっつけても引きつけようとしない。鉄の棒にも好き嫌いがあるらしい。下敷きの上に鉄粉をふりまいて下に磁石をおき、トントンと下敷きを弾くと鉄粉がきれいな筋に並ぶ。目には見えないけれど、下敷きを越えて磁石の端から端へと力を及ぼす線が走っているようだ。

続いて、下敷きを脇でこすって近づけると、髪の毛や紙切れが引きつけられるという実験もあった。こちらの方は、ガラスや水晶やプラスティックのようなものが持つ性質らしい。磁石はいつまでも釘を引きつけているが、こちらの方は、すぐに引きつける力を失ってしまうようだ。

この二つの実験から、同じ引きつける力でありながら、違ったものらしいと気付かされた。小学生だから、この程度で終わりだったと思うけれど、世の中には目に見えないが物を引きつける不思議な力があるものだと感激した。これが、私の理科への目覚めだったのだろうか。

磁石の歴史

遠く、ギリシャ時代以前から、これら二つの力の存在は知られていた(『マグネットワールド』)。世界のいずこでも、磁石の発見は鉄器の発明と強く結びついている。鉄器が発明された頃、鉄を作る鉱石中に混じって天然磁石が発見されたと推定されるからだ。鉄鉱石に混じっている磁鉄鉱が天然磁石なのである。ヒッタイト族が鉄の武器を製作したのは紀元前一五〇〇年頃だから、きっと磁石の存在もその頃から知られていたに違いない。マグネットという呼び名は、小アジアのマケドニア地方あるいはイオニア地方にある「マグネシアの石」に由来するらしい。ルクレティウスは、『物の本質について』の中で、羊飼いが野原を歩き回っている間に靴の鋲や杖の先に磁石がくっついた、と書いている。

一方、後者の摩擦電気は、紀元前五〇〇年頃、ギリシャのターレスが琥珀《こはく》を磨くと髪の毛を引きつけることに気付いたのが最初のようである。プラトンは、著作『ティマイオス』に、「琥珀を摩擦すると軽い塵を吸い寄せる」と記している。現在、電気を英語でエレクトリシティーと呼ぶのは、ギリシャ語で琥珀を指すエレクトロンに起源がある。そう名づけたのはイギリスのウィリアム・ギルバートで、摩擦電気と磁石の力は別物であることを実験で示した最初の人であった（一六〇〇年に刊行の『磁石論』）。

古代文明の中心地の中国でも磁石の存在は古くから知られていたと思われる。春秋・戦国時代には鉄器が登場していたので、当然、鉄鉱石に混じって天然磁石も発見されていたと想像されるからだ。磁石に関わる最も古い文献は、秦の時代の紀元前二三九年頃に書かれた『呂氏春秋』らしい。ここには、磁石の注として、「石鉄之母也。以有慈石、故能引其子」と書かれている。やはり、鉄鉱石から天然磁石が発見され、金属を引きつける力に注目していたのだ。ここでは磁石ではなく「慈石」と書かれていることが面白い。磁石が鉄を吸い寄せる様子が、乳飲み子を慈しんで抱く母親に似ていることから連想されたのである。

やがて、天然磁石を中華料理に使う「ちりれんげ」（スプーン）の形に削って平らなテーブルの上に置くと、クルクル回ってそのうちに南の方を指して止まる「指南器」が発明された。磁石が、いつもある決まった方向に向くことに気付いていたためで、ちりれんげの形は北斗七星の並び方をかたどったと言われている。北斗七星は、日本で「ひしゃく」と呼ばれるが、中国では「ちりれんげ」の形に見えたらしい。

指南器のちりれんげの頭が向く方向が南で、反対側の取っ手の方向に北極星が見える。北極星は、一晩の間いつも同じ北の方向に見えて良い目印になる上、北斗七星のひしゃくの向きから時間まで推測できる。広い国土の中国であればこそ、漆黒の夜、指南器は方向と時間を知るのに便利であったろう。

ところで、北極星を見つけるのに指南器を使ったはずなのに、なぜ「指北器」と呼ばなかったのだろう。一つの理由として、中国では「天子南面す」で、高貴なるものは北に位置して南を向くべしとしたためではないかと思われる。天子の視線方向を重視したのだ。あるいは、古くから発達した易学では北東の方向は鬼門であり、北狄《ほくてき》と呼ぶ契丹《きったん》や匈奴《きょうど》などの危険な異民族が多数いるため、北の方を指す道具にはしたくなかったのかもしれない。

芸事や武術を教え導く「指南」という言葉は、この「指南器」に由来する。指南器がいつも同じ方向を向く、それと同じで人を同じ道に導くという意味に転化したのだろう。

そのうちに、板を魚の形に切って中に天然磁石を組み込んだ「指南魚」が作られた。指南魚を水に浮かせると、必ず、魚の頭は南、尻尾は北を向くようになる。ちりれんげの場合、置いた台が傾いていると方向に狂いが生じるが、水はいつでも水平になるから、方向が正確に割り出せるようになった。指南魚はやがて羅針盤へと進化し、シルクロードを通ってヨーロッパに渡り、一五世紀の大航海時代を可能にした。世界のつながりとは、不思議なものと思う。

また、磁石を仕込んだ人形を車に乗せて、いつも南を向くようにして走らせたのが「指南車」である。子どもの頃に読んだ『三国志』では、諸葛亮孔明が生前に自分に似せた人形を作らせておき、病気で亡くなった後、人形を指南車に乗せて走らせ、いかにも孔明がまだ生きているように敵に思わせた、という話があったと記憶する。「死せる孔明生ける仲達を走らす」の故事を、指南車の仕掛けで教えてくれたのだった（江戸時代の指南車は、歯車を使った機械からくりになっており、もはや磁石を利用した単純なものではない）。

日本の磁石史

日本で磁石の存在が知られたのは比較的遅い。縄文時代に鉄器が使われるようになったけれど、渡来人が中国から輸入した鉄の延べ板をただ加工しただけで、鉄鉱石から製鉄したわけではないからだ。弥生時代になって、日本でも「タタラ製鉄」が行われるようになったが、砂鉄が使われたので大きな天然磁石は発見されなかったようだ。しかし、五世紀中頃から鉄鉱石を掘り出して製鉄を行うようになって、ようやく磁石が発見されたのではないかと推定できる。このように、当時の技術や使った材料で古代史を読み解くと、別の歴史までわかるようになって楽しいものである。

磁石に関する記述がある日本の最も古い文献は、『続日本紀』（八世紀末）の巻六で、

元明天皇和銅六年、……近江国は慈石……

とある。鉄を引きつける力を持つ慈石（磁石）は、とても珍重されたのだろう。『日本霊異記』（上巻の序）では、

利養をくはたて、財物を貪ること、慈石の鉄山を挙して鉄を嘘《す》ふよりも過ぎたり

と書かれている。私腹をこやしたり、金銀財物に貪欲なのは、磁石が山から鉄を余すことなく吸い取ってしまうよりたちが悪い、というわけである。人間の欲望の強さを、磁石が鉄を引きつけることに喩えている。なお、『日本霊異記』（下巻・第一三）には、美作《みまさか》の国に「官《おほやけ》の鉄《くろがね》を取る山」があって、そこで落盤事故が起こった話が出てくる。この記述より、八世紀の日本では、鉱山から鉄を掘り出し、本格的に鉄の製造が行われていたことがわかる。また、西の方に磁石でできた山があるという伝説もあって、現に山口県萩市須佐には「高山《こうやま》」という名の山があり、頂上に「高山磁石石」と呼ぶ班レイ岩の巨石があって、方位磁石を狂わせるほどの強い磁性を持ち、国の天然記念物に指定されている。

右のように、磁石が鉄を引きつける力を人の欲望に喩え、

磁石、鉄を吸ふとも石を吸はず（井沢蟠竜『本朝俚諺』一七一四年）

として、高潔な人は不正な金品には手を触れない、とする戒めに使っている。同じ主旨だが、松葉軒東井編の『譬喩尽《たとへづくし》』（一七八六年）では、

磁石能く針を吸ふと雖も曲がれる針を吸はず

となっている。正当な金品は受け取ってもよいが、不正な金品は受け取ってはいけないという意味だろう。しかし、磁石は鉄製である限り曲がっていても針を吸いつけるから、この諺は些かおかしいことになる。同じ本には、

琥珀は腐芥を取らず、磁石は曲がれる針を吸わず

と、摩擦電気のことまで書いている（『新編 故事ことわざ辞典』）。江戸時代の後半になれば、琥珀や磁石については、諺に使われるくらいよく知られるようになっていたのだ。

そのことを象徴する人物が平賀源内で、長崎に摩擦電気の蓄電装置が到来したと知るや、苦労して独力で蓄電池付きの摩擦起電機エレキテルを製作した（一七七六年）。源内は、磁石にも通じており、コンパスにあたる磁針器（方位を示す磁石）を自作している。この磁石を詠んだ俳句が、

古郷を　磁石に探る　霞かな

で、故郷の高松はこの方向だろうか、と磁針器を眺めている源内の姿が浮かんでくる。

磁石の異名に「針吸石」がある。縫い物をしたときに針を抜き忘れていないかを調べたり、散らばった針を集めるのに使った磁石のことだ。これから「磁石に針」という諺が生まれたが、くっついたら離れないものから転じて、男女の仲のことを意味するようになった。磁石と針、さて、どちらが男で、どちらが女なのだろうか。

歌舞伎と狂言

一般に、日本の芝居は、科学に関わるテーマが少ないが、意外にも古典演劇である歌舞伎と狂言に磁石が取りあげられているのは興味深い。磁石の鉄を引きつける力の意外性を芝居の展開に利用しようとしたに違いない。

一七四二年に初演された「毛抜」は、隠された磁石をうまく利用した奇抜な推理芝居である。歌舞伎十八番に入っている演目だが、あまり知られていない出し物のようなので、ちょっとあらすじを紹介しておこう。小野春道の娘である錦の前は、かねてより文屋豊秀と婚約の仲であったが、髪の毛が逆立つ奇病にかかってしまい祝言が遅れている。豊秀の使者の粂寺弾正が病気見舞いに来て、客間で待たされている間に奇妙なことを体験する。髭を抜こうとして毛抜きを取り出して畳の上に置いたら、突然毛抜きが立って踊り出すのだ。さらに、小刀を置くとこれも立つ。ところが、煙管《きせる》は立たない。これを見て弾正、何かひらめいたようだが、天井を見上げるだけでとりあえずは何もしない。続いて、奇病を苦にして自害しようとした錦の前を押し止めようとしたとき、頭の蝶花形の櫛笄《くしこうがい》が銀製ではなく鉄製であることを突き止める。そして弾正、天井を槍で突いて磁石を抱えた忍びの者を誘《おび》き出し、見得を切って、

即ちこれが病の根元根本。最前毛抜小刀の、おのれと立つは、合点行かぬと心をつけて見るところに、只今姫君の櫛笄を見れば、悉《ことごと》く皆鉄の薄金を以て彫り上げたる蝶花形、察するところ、天井に磁石を仕掛け、姫君のござる方へ、こいつが天井にて磁石をさしかざす、まった鉄のせんくずを蝋にまぜ油となし、これを用い磁石を以て鉄気《かなけ》を吸い上げさする、従って稀有の病と言い立てて、主人豊秀と縁を切り、どこぞの誰ぞの誰ぞと姫君を、添わせんとの企みと睨み据えたゆえ、一鎗に突き落としたれば、案に違わず磁石のからくり

と見事な謎解きをするのだ（『名作歌舞伎全集』第一八巻）。

弾正が待たされている間、若衆や腰元にふざけかかって振られる場面や毛抜や小刀が踊り出す場面など、くすぐりを入れながら悪家老の陰謀を暴く謎解きにつなげた後、荒事で終わるなかなかおもしろい芝居である。

江戸の庶民にとって、磁石が鉄を引きつけることは常識になっていたのだろう。明治以降になってから、忍びの者が大きな磁石の代わりに、派手に着色した羅針盤を抱えて出るようになったらしい。羅針盤では芝居のように髪の毛を逆立たせることができないから役に立たないのだけれど、磁石による仕掛けだとわかればいいので、ただの鉄の棒より見栄えのよい羅針盤を使うようにしたと思われる。「虚に実を語らせる」演劇手法だろうか。

狂言には、ずばり「磁石」という曲がある。遠江の国の者が都見物をしようと京に上る途中の坂本の宿で人売りの「すっぱ」（無頼者）に会い、あわや宿屋の下人として売り飛ばされそうになる。その謀り事に気付いた男は、代金を横取りして逃走する。おっとり刀で追いかけてきたすっぱが太刀を振り回すと、この男、急に元気になって、

某《それがし》は、唐と日本の境にちくらが沖といふ所に磁石山《じしやくせん》といふ山が有、其山の磁石の精じゃ

と言い出す。そして、

今汝が太刀を見ればせいせいとして飲みたい程に、切先から只一呑《のみ》にせふぞ

と脅すのだ。磁石が刀を引きつけることを観客も知っていることが前提となっている。すっぱもこのことを知っているのだろう、この言葉に暗示を受け、

きやつが「ああ」と言へば、何とやら此太刀がどみた様な

と思ってしまう。「どみた」は「どんよりと曇ってしまう」という意味だから、蛇に睨まれた蛙ならぬ、磁石の精に睨まれた太刀となったのだ。この男、磁石の精は太刀を鞘《さや》に戻せば元気を失ってゆくという芝居をして、うまくすっぱに太刀を収めさせてしまう。太刀が鞘に収まると、この男死んだふりまでするから、すっぱはつい仏心を出して、太刀を抜いてこの男の枕元に置いて呪文を唱える。磁石の精が太刀を見れば生き返るかもしれないと思ったのだ。死んだふりをしていたこの男、突然太刀を手に取るや、振り回しながらすっぱを追っかけ、「やるまいぞ、やるまいぞ」と幕になる。すっぱは、この男に途中から「磁石、磁石」と呼びかけているから、磁石という言葉そのものも一般化していたことがわかる（『狂言記』）。

いずれも荒唐無稽のナンセンス芝居だが、磁石の鉄を引きつける力への不思議さが、このよう

な筋書きにさせたのであろう。

なぜ、磁石は鉄を引きつけるのか?

このように、古今東西を問わず磁石が持つ不思議な力は知られていたが、なぜそのような力を持つのかは長い間謎であった。ギリシャのタ一レスが「磁石は魂を持つ」と言ったのも、謎めいた磁石の力の不思議を表現したかったのだろう。なぜ、磁石は鉄を引きつけるのだろうか? この素朴な疑問の解明のためには、さまざまな実験を積み重ね、磁石が持つ性質を明らかにする必要があった。そして、この疑問に最終的な解答が得られたのは、二〇世紀に入ってからのことなのである。素朴であればこそ、難問であったのだ。

棒磁石を二本くっつけると、互いに引きつけ合う端と反発し合う端がある。指南器のように自由に動けるようにすると、一方の端は北の方を向き、他方の端は南を向く。それで、一方をN極、他方をS極と呼ぶようになった。むろん、これをプラス極マイナス極と呼んでもよかったのだが、地球が巨大な磁石になっていて、いつも磁石を南北方向へ向けるからN極S極と呼ぶことにしたのだ。N極とS極は引きつけ合うが、N極同士やS極同士は斥け合う、とりあえず磁石はそういう性質を持っているとしよう。

そこで、磁石を鉄に近づけると、鉄自体も磁石になると考えたらどうだろう。鉄の中にS極とN極がペアで作られて、新たな磁石ができると考えればよいのだ。あるいは、もっと簡単に、鉄の中に磁石が埋まっていると考えてもよい。N極を近づけると鉄の中の磁石のS極が表面に現れ、N極を近づけるとS極が表面に現れるようになって、互いに引きつけ合うのだ、と。どちらの極を近づけても鉄は引きつけられるから、鉄の中の磁石は、自在にN極とS極が入れ替わることができるとすればよい。

ところが、棒磁石のN極とS極は決まっている。また、刀のような鋼《はがね》の場合、磁石と接触させてしばらくおくと、刀自体がそのままN極とS極の決まった磁石になってしまう。ところが、釘はそうならない。刀と釘は何が違うのだろうか。また、棒磁石を半分に切ると二本の磁石になる。切った場所にN極とS極が現れて新しい磁石になるのだ。どこで切っても同じである。さらに、その一本を半分に切ると、また二本の磁石になる。これを繰り返していっても同じである。さて、このことから何が考えられるだろうか。

かつて、「分子磁石」説があった。N極とS極から成る小さな分子磁石が鉄の中に埋まっているとするのだ。棒磁石は、分子磁石が方向を揃えてきれいに整列しており、N極とS極がいつも決まっている。通常は磁石でない刀や釘の場合、分子磁石が向く方向はランダムになっており、棒磁石を近づけると分子磁石の方向が揃って磁石になる、と考えればよい。刀のような鋼だと、棒磁石を遠ざけても分子磁石が揃ったままで、この刀も磁石になる（磁性を保つ）。釘のような鉄

（軟鉄）だと、棒磁石を遠ざけると分子磁石の向きは再びバラバラになってしまうので、磁石の性質が長続きしない（磁性を失ってしまう）。同じ鉄でも刀と釘で磁性が異なるのは、分子磁石の整列のしやすさの差と考えるのだ。また、ガラスやプラスティックや板など、磁石に反応しない物質は、分子磁石が存在しないか、存在しても簡単に動けないとすればいい。

こうして、分子磁石説は、さまざまな実験をうまく説明することができたのだが、致命的な問題点があった。まず、分子磁石そのものの実体がわからなかったのだ。物質はすべて原子でできているから、鉄をどんどん二つに切っていけば、最終的に原子に到達してしまう。「原子磁石」にたどりつくはずだから、分子磁石ではなく、原子磁石と呼ぶべきであろう。では、原子の何が磁石になるのだろう。それについては、原子の構造が明らかにされねばならない。

もう一つの問題点は、もし原子磁石の方向を揃えて整列させようとすれば、N極同士・S極同士を横に並べなければならない。ところが、棒磁石を同じ方向に並べるようなもので、隣りの極同士が反発して列は乱れてしまうだろう。むしろ、N極とS極を互い違いに並べた方が、異なった極同士が引き合ってきれいに整列させることができるはずである。しかし、それではN極とS極が揃わないから強い磁石にはならない。鉄には小さな原子磁石が埋め込まれているとする原子磁石説は魅力的であったが、「通常では」無理なのである。その解決には、原子の中の「通常ではない」世界に歩み入らねばならない。

原子の世界

二〇世紀に入って、物質の根源を探る研究は原子にまで到達した。古代ギリシャのデモクリトスがこれ以上分割できない究極の粒子と呼んだアトム（原子）は、実は究極の単一粒子ではなかった。原子は、プラスの電荷を持つ粒子とその周りに分布するマイナス電荷の電子から成り立っている（つまり構造がある）ことが明らかになったからだ。このとき、プラスの電荷の粒子と電子がどのような配置となっているかが大論争になった。一つはトムソンの「ぶとうパン」モデル、もう一つは長岡半太郎の「太陽系」モデルである。「ぶどうパン」モデルは、電子がパン生地のように広がり、その中にプラスの電荷がぶどうのように点々と散らばっているモデルであり、「太陽系」モデルは、プラスの電荷が中心に位置して電子が惑星のように周囲を回る太陽系を想定したモデルであった。

ラザフォードの実験から、長岡の太陽系モデルが正しいとわかったのだが、このモデルも「通常では」受け入れられない。プラスの電荷の粒子（これを原子核と呼ぶ）の周りを電子（マイナスの電荷）が回れば、電子はエネルギーを放出してすぐに中心に落ち込んでしまう、つまり原子は安定でなくなってしまうのだ。しかし、原子は安定である。現に、私もあなたも原子でできているが、すぐに崩れてしまうなどということはない。さて、これをどう考えるか、という難題が突きつけられたのだ。

パラダイム転換は常識を捨てることから始まる。デンマークのニールス・ボーアが、「通常では」という発想を止めよう、と言い出した。確かに、旧来の電磁気学の法則を基礎にした「通常では」原子は不安定となってしまうが、原子の中の世界は「通常でない」ことにしよう。電子は、原子核の周りを回っていても、決まった軌道上を動いている間はエネルギーを放出しないとするのだ。そして、内側の軌道に移るときだけエネルギーを放出するとし、決まった軌道内には決まった数の電子しか入れないと考えよう。そうすれば、原子は安定性を保てるだけでなく、さまざまな種類の原子の性質が見事に説明できるではないか、というわけである。

これが、原子の世界を記述する量子論の出発点になったのだが、当初は根拠のない仮説として出発した。「通常では」起こらないことが起こり、「通常では」起こることが起こらないためには、「通常」の概念を変えねばならないからだ。後に、この仮説は量子力学として法則化され、原子の世界の運動を過不足なく説明することに成功した。

原子磁石の謎も、結局は量子力学の成立を待つまで解かれなかった。原子磁石の実体は、原子の周囲に分布する電子にあったのだ。電子は「スピン」という物理的な性質を持っている。直観的にいえば「自転」のことで、フィギュア・スケートのスピンのようなものである。このスピンのためにN極とS極が生じ、原子磁石となることが量子力学から導かれたのだ。スピンする方向が逆になると、N極とS極が逆転した原子磁石になる。だから、物質内の電子が揃って同じ方向にスピンすれば強い磁石になる、というわけだ。こうして、原子磁石の実体が明らかになった。

むろん、「通常では」、スピンが揃うとN極同士・S極同士が隣り合うから反発し合う、という問題がまだ残っている。ところが、思いがけない解決法が見つかった。磁力だけの力関係から考えればスピンは互い違いになった方がいいのだが、原子全体での配置まで考慮するとスピンが揃った方がエネルギー的に得をする場合がある、というのだ。実際、鉄やニッケルのような「特別な」金属では、反発する分を差し引いても、スピンが揃った方が安定な状態になるような電子配置をとることが示された。逆に言えば、そのような性質を持つ「特別な」金属のみが磁石に引きつけられ、それ自身が磁石になるのだ。部分で損しても全体で得するというわけで、「通常では」の発想は、部分の利益だけに目を奪われていたことになる。「損して得とれ」は、商売だけでなく、原子の世界でも有効であったのだ。

地球は磁石

磁石の謎は解けたが、それだけでは理解できない問題が残っている。地球が巨大な磁石になっていて「地磁気」を持っているということだ。地球も電子のスピンが揃っているためだろうか。地球は鉄鉱石とは桁違いの莫大な数の原子の集まりだから、とてもすべてのスピンが揃うなんてことは考えられない。別の理由があるはずである。

発電機は、磁場中に銅線を巻き付けたコイルをおき、それを回転させて電流（電気の流れ）を発生させている。コイルが回転すると、そこを貫く磁場の束が変化するので電流が生じるのだ。これを「電磁誘導」という。ファラデーが発見した重要な法則である。逆に、電流が流れると周囲に磁場ができる。このように、電気と磁気は互いに入れ替わることができる。自転車のライトに使われている発電機もこれと同じ原理で、電気を通しやすい物質にゆるい磁場をかけておき、この物質を回転させれば電流が発生して明かりが灯る仕掛けである。これを「ダイナモ」と呼ぶ。

地球の場合は、内部の中心付近に鉄が溶けた部分があり、それが地球の自転とともに回転するために電流が発生し、その電流が作る磁場が外部にまで広がっていると考えられている。磁場の形が、ちょうど棒磁石と同じ形なので（N極とS極が対になっているので双極磁場と呼ぶ）、あたかも地球が一つの巨大な棒磁石のようにみなせるのだ。地球が棒磁石のようになっているから、指南器や羅針盤が発明されたことになる。それらに仕込まれた磁石の極が地球の磁極に引かれるので、いつも同じ方向を向くからだ。

とはいえ、地磁気について知らなかった時代では、北極星が磁石を引きつけると考えていた。いつも同じ方向に見える北極星が、特別な力を持っていると信じられていたのだ。しかし、それを疑う人々もいたらしい。例えば、日時計を作る職人は、北極星の方向と羅針盤が指す北の方向が少しずれていることに気付いていた。一一世紀末の中国の沈括の著書『夢溪筆談』には、「磁針は真南を指さず、わずかに東に偏る」と書かれている。この地理上の北と磁石が指す北の方角とのずれを「偏角」と呼ぶが、それを歴史的に初めて正確に記録したのは、かのコロンブスであった。

一四九二年八月三日にパロスを出港したコロンブス一行は、まずカナリー諸島に寄港して水や食料を積み込み、九月六日にインドを目指して西向きの航路をとった。その約一週間後、コロンブスは羅針盤の針が北極星の方向からずれていることに気付いたのである。コロンブスの航海日誌によれば、

九月一三日の日暮れに磁針が北東のほうへ半目盛ずれ、夜明けにはさらに半目盛ずれているのを見つけた

とある。磁針が北極星の方向を指さず、ある固定した、目に見えない別の地点に向いているのを見つけたのだ。むろん、コロンブスにはその理由がわからない。羅針盤が壊れたのか、悪意を持った船員が羅針盤を壊したのか、それとも何かの啓示か。いずれにせよ、コロンブスは船員たちに理由を説明しなければならなくなった。そのときコロンブスは、実は北極星は不動ではなく、小さいが円を描いて動いているから、羅針盤の方向とは一致しないのだと、船員たちの動揺を抑

えるためとはいえ、強引な説明を行っている。実際、当時の北極星（ポラリス）は半径三度の円を描いて動いていた。それに気付いて羅針盤のずれと結びつけたのは、さすが山師コロンブスと言えそうだ（『エピソード科学史』1）。

地球が巨大な磁石になっており、天然磁石を引きつけたり斥けたりする力が発生することをヒントにしたSFが、スウィフトの『ガリヴァー旅行記』（一七二六年）第三部である。ラピュータ島は円盤形で、空中に浮かび、どの方向にも自在に飛び回り、降りたり昇ったりもすることができる。その秘密は、ラピュータの中央に置かれた巨大な天然磁石にあった。スウィフトは、

> 磁石の一方の極には吸引力が与えられ、他の極には反発力が与えられている

と書いているが、この力を利用して領土バルニバービ上空を自由に動けるのだ。バルニバービの北半分がN極とすると、ラピュータに載せられた天然磁石のS極を下に向けると吸引力でラピュータは降下し、N極を下に向けると反発力で上昇する。それをうまく組み合わせれば、ラピュータは自由自在に上空を飛行できるというわけだ。スウィフトは、このアイデアがよほど気に入ったのか、わざわざ図解入りでラピュータの動き方を説明している。むろん、磁石の力だけで巨大なラピュータ島を空に浮かせるなんて不可能だが、磁石や電流の研究が盛んであった大英帝国ならではのSFだろう。とはいえ、ダブリン出身のスウィフトは、アイルランドを搾取する

イングランドに強い反発心を持っていた。このラピュータに続いて訪れたバルニバービ国の物語に、科学者への鋭い皮肉が散りばめられているのは、世間知らずの王立協会やイングランドの学者たちへの揶揄《やゆ》であった。

実生活においても、こんなエピソードがある。当時の造幣局長官は、かの有名なニュートンであった。金貨に所定量の金が含まれていない悪貨が出回るという事件があった。そのためニュートンは金貨鋳造所に視察に出かけたのだが、このとき、わざわざ視察日を前もって知らせていたのである。これを聞いたスウィフトは、「いくら自然哲学の天才でも、人間の心が理解できないデクノボーだ」と批判した。「長官が視察に来る日にゴマカシをするはずがない。ニュートンには、視察日を知らせず、抜き打ちで検査するという知恵もない」からだ。金の量を減らした悪貨がアイルランドの搾取に利用されていることに心を痛めていたスウィフトは、ニュートンの視察は正義面を装ったパフォーマンスでしかないことを鋭く見抜いていたのだ。

このような慧眼《けいがん》を持っていたためだろうか、スウィフトは、ラピュータの物語で不思議な予言をしている。ラピュータの人々の天文学は優れていて、火星に二つの衛星を発見している、と書いているのだ。実際に火星に二個の衛星が発見されたのは一八七七年のことで、その一五〇年も前にスウィフトはその存在を予言していたことになる。ひょっとして、これは王立協会の会長であり、反射望遠鏡の発明者であるニュートンへの挑戦であったのかもしれない。

第6章 「ぶらんこ」——ふらんどや桜の花をもちながら

ゆあーん　ゆよーん　ゆやゆよん

幼い頃、ブランコを自分一人で漕げるようになると嬉しくなって、何度も何度も順番を待ってはブランコ乗りに熱中したものである。初めて乗ったときは漕ぎ方がわからず、ブランコはくるくる回るばかりで後ろから押してもらわねばならなかった。ところが、ある日突然、一人でも前後に漕げるようになり、足を伸ばしたり縮めたりするといっそう大きく振れることを覚える。やがて勇気を奮って板の上に立ち上がり、体を上下させるとブランコが水平になるくらいまで振れる。恐ろしさに打ち克つ冒険心と空気を切る爽快さとが混じって、新しい世界が開かれたような気になったものだ。あの爽快さと幼い頃の郷愁のためなのか、今でもブランコを見ると乗ってみたくなる。

サーカスの花形が空中ブランコであるのも、みんなブランコの楽しい思い出を持ち、危なさと隣り合わせの爽快さを下から見上げながら共有できるからだろう。自分もやってみたいけれど、とてもあんな高いところで、あんなに大きく揺れるブランコに、すいすい飛び移るなんてとてもできない。観客が共通して抱く憧れと恐怖、それがブランコ乗りをスターに押し上げるのである。

中原中也は、「サーカス」という詩の中で、

サーカス小屋は高い梁
　そこに一つのブランコだ
見えるともないブランコだ

頭倒《さか》さに手を垂れて
　汚れ木綿の屋蓋《やね》のもと
ゆあーん　ゆよーん　ゆやゆよん

それの近くの白い灯が
　安値《やす》いリボンと息を吐き

観客様はみな鰯
　咽喉《のんど》が鳴ります牡蠣殻と

ゆあーん　ゆよーん　ゆやゆよん

屋外は真ッ闇《くら》　闇《くら》の闇《くら》
夜は劫々と更けまする
落下傘奴《らくかがさめ》のノスタルヂアと
ゆあーん　ゆよーん　ゆやゆよん

と詩っている。かつてのサーカスに漂っていた一種のわびしい雰囲気と、ゆったりと空中ブランコが揺れる「ゆあーん　ゆよーん　ゆやゆよん」というリズムが見事にマッチし、まさに「ノスタルヂア」に誘われる詩だ。中也の目は、まず観客席にあってブランコ乗りが吐く白い息を見、次にブランコから見下ろして「観客様はみな鰯」と嘯《うそぶ》く。そして最後に、空から降り立つようなブランコの興奮を胸にして、真っ暗な夜道を家路に向かう。何だか追体験するような息遣いである。

ブランコはなぜ揺れる

ところで、ブランコは人に押してもらわなくても、だんだん揺れが大きくなって振動運動をするようになる。外から力を加えて仕事をしていないのに、運動エネルギーが増え、より高いところまで上がるようになるのだ。さて、なぜだろう？　力学の授業で、そんな質問を学生にしてみる。むろん、無からエネルギーは生まれないから、どこかで仕事をして運動エネルギーを生み出しているのだが、誰が、どのような仕事をしているのだろうか。

ブランコが揺れるのは当たり前と思っている学生だから、そんなことをあまり考えたことがないのか、ポカンとした顔つきである。もちろん、エネルギーを生み出すのは、ブランコに乗った人間である。人間が乗らなきゃブランコは揺れないからね。もっとも、ビリー・バンバンの「白いブランコ」で、

君はおぼえているかしら　あの白いブランコ
風に吹かれて　二人でゆれた　あの白いブランコ

と歌ってはいるけれど、あれは風でゆらゆらしているだけで、振動運動をしているわけではな

いよね。では、ブランコに乗った人は、どんなふうにして運動エネルギーを生み出しているのだろうか。ブランコの漕ぎ方を思い出してみよう。そうすれば、なぜだかわかると思うよ、と水を向けてみる。ブランコはレッキとした物理学の問題なのだからといかにも昔から知っていたように語る。そして、学生たちが考えている間、ちょっと横道に逸れた話をする。

ブランコの起源と呼び名

ブランコは、高い木と吊り下げる紐と板さえあれば比較的簡単に作ることができるから、古くから世界のあちこちで作られた。インドではヴェーダ時代と呼ばれる紀元前二〇〇〇～一〇〇〇年の頃には、もうブランコが発明されていた。当時描かれたミニアチュール絵画（細密画）には、ブランコ遊びをしている女性の姿やブランコに乗って抱き合っている男女の姿が描かれているからだ。また、ヒンズー教には「プレンカ」と呼ばれる儀礼的なブランコがあり、太陽の力・豊穣多産・天地の媒介という意味を持っていたようだ。いわば、ブランコは、女性性の象徴で、実際に女性の遊具であったと考えられている（『20世紀をつくった日用品』）。

ところで、なぜ「ブランコ」と呼ぶのだろう。「ぶらん、ぶらん」と揺れる子どもの遊び道具で、それに「こ」をつけて可愛く思わせた呼び名なのだろうか。どうも、そんな単純なことではないらしい。『広辞苑』（第六版）を引いてみたら「（一説にポルトガル語から）二本の綱か鎖で吊り下げた横木に乗って、前後に揺り動かす遊具」とある。ブランコは日本語だと思っていたのに、襦袢《じゅばん》と同じようにポルトガル語起源らしい（「一説に」とついているように、確かではないようだが）。では、ブランコはポルトガルから伝来した遊び道具なのだろうか。

そんなことはない。中国ではずっと昔からブランコ遊びをしており、平安時代には日本に伝わっていたからだ。ブランコが春の季語となっているのも、中国の行事と関係があるためだ。中国では、冬至の日から数えて一〇五日目を「寒食の日」とした。『荊楚歳時記』に、

冬節を去ること百五日、即ち疾風甚雨あり。之を寒食節と謂う。火を禁ずること三日、餳《とう》と大麦の粥を造る

と書かれている。現在の暦では四月の始めの季節の変わり目で、突風が吹いたり大雨が降ったりすることが多い。特に、突風のために火事が起こりやすく、そのため寒食の日から三日間、火の使用を禁じた。つまり、料理が得意で旨い物好きのあの中国人が、火を通さない料理である「寒食」でガマンしたのである。作っておいた杏仁入りのかゆと甘酒で過ごしたらしい。唐の韓翃《かんこう》は「寒食」という七言絶句、

春城無処不飛花
寒食東風御柳斜
日暮漢宮伝蠟燭
青煙散入五侯家

春の町には、どこもかしこも花びらが舞う
きょうは寒食、春風にお濠の柳も斜めにそよぐ
いよいよ清明、夕暮れに、宮殿から、ろうそくに新しい火がつけられて、伝えられる
その青い煙が春風にゆらぎ、五人の大名の家へと入っていく

を作っている。寒食の三日目が「清明節」で、万物発して「清浄明潔」となる季節である。この寒食の間、ご夫人方が料理から解放され、ブランコに乗って遊んだらしい。つまり、中国でもブランコは女性の遊具であったのだ。これを「鞦韆《しゅうせん》」と呼んだのだが、革偏になっているから、革の紐で横木を吊したのかもしれない。

蘇東坡の有名な七言絶句「春夜」に、

春宵一刻直千金
花有清香月有陰
歌管楼台声細細

春の夜は、ひとときが千金にあたいするほど
花には清らかな香りが漂い、月はおぼろにかすんでいる
高楼《たかどの》の歌声や管弦の音はにぎわいも終わって、今はかぼそく
聞こえるだけ

鞦韆院落夜沈沈

人けのない中庭にひっそりとぶらんこがぶら下がり、夜は静かにふけていく

がある。結句に、人けのない中庭（院落）にひっそりと垂れる鞦韆（ブランコ）が詠まれているが、昼間の賑やかさとは対照的に、更けていく夜の静けさをいっそう際立たせる役割を担っている。きっと、昼間は、官女たちが華やかに裳裾《もすそ》を翻してブランコ遊びに興じていたのだろう。であればこそいっそう、春の宵の静まりの中に艶やかさが感じられるというものだ（以上『春の詩100選』）。

辞書を引けば、ブランコの異名として「半仙戯」ともある。半ば仙人になったような気持ちがする遊具という意味らしく、実際ブランコに乗ればちょっぴり空を飛ぶ仙人になった気分が味わえる。唐の玄宗皇帝がつけた呼び名だそうで、楊貴妃をブランコに乗せて一緒に揺られれば、さぞや、仙人になって天にも昇る気分であったろう。

日本には嵯峨天皇時代の九世紀初めに伝わり、初め鞦韆と中国名で呼ばれていたが、そのうち「ゆさわり」「ゆさぶり」と直感的で素っ気ない呼び方になった。『和名類聚抄』には、「鞦韆」「由佐波利」と記載されている。日本では、ブランコは子どもの遊び道具として受け入れられたのだろう。『栞草』には、

春の節、長き縄を高木に懸け、士女袨服し、其上に坐し立て、これを推引す、名づけて秋千と云

とあり、春の節句に、紳士と淑女が晴れ着を着てブランコ（秋千）に乗って遊んだことがわかる。このためか、俳句では春の季語になっている。しかし、ここでは「秋千」という字が当てられている。

江戸時代になると、さらに「ふらここ」とも「ふらんど」とも「ぶらここ」とも呼ばれるようになり、ブランコという呼び方に近づく。憶測をすれば、日本に来たポルトガル人が「ゆさぶり」遊びをしている子どもたちを見て「balanço」と呼んだのだが、それが「ふらんど」や「ふらここ」に聞こえたのかもしれない。

一茶の句に、

ふらんどや　桜の花を　もちながら

がある。桜の花の小枝を持ってブランコ遊びに興じる子どもたち、春の明るさを見事に切り取った名句だと思う。これに一茶は「鞭韆戯」と前書きしており、二つの呼び名を使い分けている。一茶にはもう一つ、

ふらんどに　すり違ひけり　むら乙鳥《つばめ》

と、燕もブランコに戯れるのどかな句もある。一茶にはこのような句があるが、芭蕉や蕪村にはない。晩年を故郷の長野で過ごした一茶ならではの俳句と言える。

私の幼い頃、収穫の秋になると、田圃には二メートルくらいの棒で足場を組み、竹棒を通して稲を干していた。稲架《はさ》で、二週間くらい経って稲を取り去った後、竹棒に綱を垂らしてブランコ遊びをしたことを覚えている。田舎の子どもたちはこうしてブランコ遊びを楽しんだものだ。収穫後の束の間の楽しいひとときであった。

もっとも、ブランコは子どもだけでなく大人も乗りたいものである。炭太祇《たんたいぎ》の句に、

ふらここの　会釈こぼるるや　高みより

がある。この場合は、ブランコに乗った大人が、ちょっと気恥ずかしげに会釈している姿が目に浮かぶ。角川文庫の『俳句歳時記』に収録されている句もおもしろい。加藤楸邨《かとうしゅうそん》の、

鞦韆を　下りきて僧の　無言かな

は、いかにも生真面目そうな僧が人目のないのを幸いに、子ども心でブランコに乗ってみた姿が、少し滑稽に描かれている。この場合は、ブランコは「鞦韆」でなければならない。あるいは、稲富義明という人の句に、

停年の　後のことなど　ふらここに

があって、初老のおじさんがブランコに座って思案している姿もある。この場合は、ブランコを大きく揺らしているのではなく、ただ心とともに小さく揺れているという気がする。

ブランコが揺れる理由《わけ》

なんだか、国語の時間のようになってしまったが、物理の問題に立ち戻ろう。

さて、ブランコに乗った子どもたちは、体をどのように動かしているだろうか。なぜ、そうすればブランコが大きく揺れるようになるのだろうか。

まず、子どもたちの動きをよく観察してみよう。子どもたちは、ブランコが大きく振れていっ

たん止まって揺れる方向が変わるときに腰を下げ、真下に来て最もスピードがついたときに腰を上げている。だから、ブランコが一往復する間に子どもたちは、二回腰を上げ下げしていることになる。

ブランコがある速さで振れていると、ブランコに乗っている子どもには遠心力がかかる。ジェットコースターに乗っていて、くるりと一回りをしても地上に落ちないのは遠心力のためである。もし、新幹線と同じ時速二〇〇キロで走っているジェットコースターなら、どれくらいの高さまで落下しないだろうか、とまた脇道に逸れる。なんと、六一〇メートルもの高さになる。新幹線はそれほど速い乗り物なのだ。高さ二〇メートルのジェットコースターなら、落下しない速さは秒速で一〇メートルに過ぎないから、せいぜい一〇〇メートル競走の世界記録程度で、キャーキャー騒ぐほどの速さではない、と付け加える。

揺れるブランコに乗っていると遠心力が働く。この遠心力の大きさは、ブランコが真下に来て最も速く動くときに最大になり、ブランコが大きく振れていったん止まるときにゼロになる。そこで、遠心力が最大のときに腰を上げる。その結果、ブランコの支点から重心までの長さが短くなるから、遠心力に逆らって動くことになり仕事をすることになる。これが自分の運動エネルギーを増やす原因となる。一方、振れが最大になって一瞬止まったときは遠心力はゼロだから、その間にそっと腰を下げても（支点から重心までの長さを長くしても）、遠心力による仕事はゼロのままである。こうして、自らが振れるときの遠心力を利用して運動エネルギーに変えている。結局、エネルギー源は、遠心力に逆らって重心を上げ下げする子どもたちの体力にある、というわけだ（実際には、重心の位置エネルギーの変化も運動エネルギーを増やすことに寄与しており、その量は遠心力による増加量の半分になる）。

このことは簡単な実験で確かめることができる。糸の先に鉄の玉を取り付けた振り子を準備し、穴を開けた板から糸を通して振らせるのである。そして、玉が真下に来たとき糸を引っ張って短くし、振れが最大になったときに糸を弛《ゆる》めて長くする。その同期を正確にして繰り返していると、やがて振り子はどんどん大きく振れるようになることが見えるだろう。この場合は振り子の長さを外からの力で調節しているが、ブランコの場合は子ども自身の腰の上げ下げで長さを調節していることになる。

このような現象を専門用語では「パラメーター励起《れいき》」と呼ぶ。ある振動運動（今の場合は、ブランコの揺れ）に対し、ある物理量（これをパラメーターと呼ぶ）を振動の位相に合わせて変化させることにより、振動そのものを大きくさせる（励起させる）からだ。このとき、もとの振動数に対し二倍の振動数でパラメーターを動かすことが特徴である。ブランコの場合、パラメーターはブランコの支点からの子どもの重心の位置であり、それを一往復の振れの行きと帰りに二回上げ下げしているから、典型的なパラメーター励起なのである。ブランコが揺れる現象は、当たり前のように見えて、かなり高級な物理の概念と言える。子どもたちは、そんなことを考えもしないで、いつの間にかブランコの漕ぎ方を体で覚えるのだが（『日常の物理事典』）。

ここまでの説明は、遠心力や重心の位置の移動などを使った定性的なもので、比較的わかりやすい。ところが、これを実際に数式で示すとなると、とたんに難しくなる。一度、ブランコが揺れる問題を大学院の入試問題に出したが、受験生には難しすぎてほとんどできなかったので同僚から叱られた。そこで学生たちには、ゆっくり考えて次の授業までにレポートで答を提出するように言う。授業中、右のように横道にばかり逸れているものだから、時間が足りなくなってしまうためでもあるのだが。

鞦韆は漕ぐべし

さて、ブランコの漕ぎ方やその理由がわかっても、学生たちは人生という海を渡る船の漕ぎ方はまだ知らない。そこで、最後に三橋鷹女《みつはしたかじょ》の句、

鞦韆は　漕ぐべし愛は　奪ふべし

を紹介する。人生には都合の良いパラメーターなんか存在しないから、ひたすら熱情をもってコトに当たることだ、と。

海の生き物

第7章「しんじゅ」——真珠の見がほし御面

豚に真珠

もう四〇年以上も前になるが、貧しかった私たち二人は、仲間内だけの会費制の結婚式をあげ、新婚旅行に特急電車で京都から二時間の志摩半島に出かけた。志摩半島の英虞湾《あごわん》は御木本幸吉《みきもとこうきち》が始めた養殖真珠の名産地である。婚約指輪も買わ（買え）なかったので、せめてもの記念にと、妻には真珠のイアリング、私には真珠のネクタイピンを買った。そのとき、つい「豚に真珠」と口を滑らし、「どちらが豚なのよ」と問い詰められて、とうとう初ゲンカに発展してしまった。その後になって出典を知ったので手遅れなのだが、せめて、この諺は『新約聖書』（マタイ伝七章六節）の、

> 神聖なものを犬に与えてはならず、また、真珠を豚に投げてはならない。それを足で踏みにじり、向き直ってあなたがたにかみついてくるだろう

から作られたと言えておれば、少しは有効な反論ができただろうに、と今にして思う。

聖書では、真珠は、高価な宝石、得難い宝物、として描かれている。『新訳聖書』（マタイ伝一三章四五、四六節）では、天国の喩えの中で、

天の国は次のようにたとえられる。ある商人が良い真珠をさがしている。高価な真珠を一つ見つけると出かけて行って持ち物をすっかり売り払い、それを買う

と、真珠商人が全財産を投じても得たいと思うくらい貴重なものと言っている。当時は、紅海やアラビア海の天然真珠しか採れず、それも偶然の幸運で真珠を抱いた貝が見つかったときにしか手に入らないから、妖しげに輝く大粒の真珠は殊に貴重であったのだろう。とはいえ、『旧約聖書』（ヨブ記一八b節）は、

真珠よりも知恵は得がたい

と、物よりは人智を愛でることを忘れてはいない。

本章は、真珠物語の予定だが、豚と聖書が出てきたので、ちょっと寄り道をして、聖書の豚に

対する偏見を指摘しておきたい。最近でこそ可愛い子豚を主人公にした映画が公開されるようになっているが、豚は糞尿や泥の中で転げ回って臭いとか汚いとか、豚肉には寄生虫が多く腐りやすいとかと、かつては評判が悪かった。そのかなりの責任は、豚を「汚れた動物」と決めつけた『旧約聖書』にあるのかもしれない。「イザヤ書」（六六章一七b節）に、

豚や忌まわしい獣やねずみの肉を食らう者は、ことごとく絶たれる、と主はいわれる

と書かれており、豚を食する民族は滅ぶと予言されているのだ（『聖書の中の科学』）。もっとも、中国や日本でも豚は蔑まれているから、聖書だけに責めを負わせるわけにはいかない。わが子を謙遜して「豚児」と呼んだり、「豚魚の信」と魚並みに扱ったり、「豚の軽業」とか「豚の木登り」と勝手に無理な注文をして能力がないと決めつけているのだから。本来、豚はきれい好きで、神経も繊細であり、愛すべき生き物なのである。また、豚は成長が早く、餌から肉への転換率が高いので、栄養源としては極めて効率的な動物と言える。豚が泥の中を転げ回るのは、汗腺がなく暑がりなので、水分を付けて体を冷やそうとしているためなのだ。水をかぶれるようにしてやれば、豚も泥んこ遊びなんかしないだろうに。豚の名誉のために敢えて付け加えておきたい。閑話休題。

クレオパトラのイアリング

プリニウスの『博物誌』第九巻に、真珠が重要な役割を演じた故事が書かれている。マルクス・アントニウスとクレオパトラとの最初の出会いの時である。

首尾良くカエサルの暗殺に成功したアントニウスは、カエサル追悼の名演説でローマの人々の信を得、ガイウス・オクタヴィアヌスとレピドゥスと共に第二次三頭政治を組織した。アントニウスの狙いは、小アジアを始めとする東方を属州として勢力を拡大することだったが、その邪魔になるのがエジプトのクレオパトラであった。紀元前四〇年、軍を送ってエジプトを蹂躙《じゅうりん》せんばかりのアントニウスのローマに対し、国力が衰えているエジプトは武力ではかなわない。そこで、クレオパトラは美貌という絶対の武器で迎え撃つことにした。かのカエサルを籠絡《ろうらく》したのと同じテクニックである。

クレオパトラは王室用のガレー船に乗り、アントニウスとの会見に出かけた。このガレー船の船尾を金で覆い、フルートや竪琴が奏でる音楽に合わせて銀のオールを漕がせ、美少女たちが絹の綱で帆を操るという具合に、実に贅《げい》を尽くした華麗な出で立ちであった、と『プルタルコス英雄伝』に描かれている。むろん、これはアントニウスを誘い出すためのクレオパトラの作戦であることは言うまでもない。本来、アントニウスは、ガレー船に乗り移って、小アジアでのゴタゴタの責任をクレオパトラに難詰する予定であったのだが、案の定、クレオパトラの煌やかな誘いにやすやすと乗ってしまい、食事を共にすることを承知してしまった。

食事をする船室は溢れんばかりの花で飾られ、寝椅子や壁は金の刺繍で覆われ、宝石を散りばめた金の皿に豪華な食事が盛られ、金の杯で酒が振る舞われ、とクレオパトラは豪奢な生活ぶりをアントニウスに印象づけた。アントニウスはクレオパトラの歓迎ぶりに深く満足し、酒を酌み交わしたり踊ったりで、夜遅くまで共に過ごしたのである。

と、ここまではありきたりの誘惑場面に過ぎない。ここでクレオパトラは大きな博打《ばくち》を打った。別れ際、クレオパトラは、さりげなく「明日は、一万セステルチア（約一億円）かけた宴会を開きますのでお出かけ下さい」とアントニウスに囁いたのだ。「一回の宴会でそんな大金を使うことができるはずはない」と言うアントニウスに対し、クレオパトラは「できるかできないか、賭をしましょう」と持ちかけた。賭の中身はエジプトの命運である（ゆめゆめ美女と賭をするなかれ）。

翌日の宴会で行ったクレオパトラのパフォーマンスの小道具は、耳に付けた一万セステルチアはするという大粒の真珠のイアリングであった。彼女は、右耳のイアリングから真珠を取り外すや酒杯におき、そこに酢をなみなみと注いで真珠を溶かし、それを一口で飲み干して見せたのだ。さらに、もう一つの左耳の真珠まで外そうとしたが、アントニウスはそれを止めて「賭に負けた」と宣言した。これによって、エジプトはアントニウスに蹂躙される危機を免れたのである。

それだけではない。すっかりクレオパトラに魅せられたアントニウスは、オクタウィアを離縁してクレオパトラと結婚してしまった。美女にメロメロの骨抜きになったアントニウスなら、エジプトはローマに併合されることはない。クレオパトラは真珠を使った博打に勝ったのである。

一説では、賢明なオクタウィアの方がアントニウスを離縁したことになっている。ガイウス・オクタヴィアヌスの姉であったオクタウィアは、夫アントニウスと弟との確執に長年悩んでいたのだが、クレオパトラに走った軽薄な夫を見限ったのである、と。確かに、彼女は慧眼であった。紀元前二九年、アクティウムの海戦でオクタヴィアヌスは、アントニウスとクレオパトラの軍を破り、ついにエジプトを併合してしまったのだから。オクタヴィアヌスは、後に「アウグストゥス（尊厳なる者）」という称号を得、さらには八月の呼び名（英語のオーガスト）として自らの称号を残している。夫より弟に賭けたオクタウィアが最終的に勝ったと言えそうだ。

クレオパトラの真珠のイアリングについては後日談がある。確かに真珠は酢に溶けるが、大粒の真珠だったのだから数秒の間で溶けるはずがない、ではクレオパトラはどうしたのか？　という話である（西洋人は、何やかや理屈を言い立てては、後日談を考えるのが好きらしい）。まず、クレオパトラは白亜（白墨の材料）で作った偽の真珠を使ったのだろう、アントニウスはハメられたのだ、という「真珠偽造説」がある。これならすぐに酢に溶けるからだ。

いや、カエサルとアントニウスと、二度までも体を張ってエジプトをローマの占領から守ったクレオパトラなのだから、そんな下品な手は使わなかっただろう。当時の化学知識に通じていたクレオパトラは、真珠を溶かすような薬品を酢に混ぜていたに違いない、という「酢の偽造説」

が一八世紀に現れた。もっとも、どんな薬品を用いたのか明示していないので、あまり説得力はない。

いやいや、クレオパトラは本物の真珠を本物の酢に入れ、溶けた振りをして一瞬に丸飲みしたのだ、という「演技説」も登場した。まさか、真珠がピンポン球ほども大きくなさそうだし（そんなに大きければイアリングにしたら耳が裂けてしまうだろう）、英雄カエサルを手玉に取ったくらいの女性だから（アントニウスはカエサルに比べたら赤子の手を捻《ひね》る程度だろう）、「演技説」が最も信憑性《しんぴょうせい》がありそうだ。

私は、演技説のバリエーションである「手品説」を主張したい。日頃毒蛇を飼って手なずけていたらしいから、真珠の玉を一瞬にして消えさせるくらいお手の物だった、と思うからだ（ムキになって言うことでもないけれど……）。

もう一つの後日談は、残された片方の真珠のイアリングはどうなったか？　というものである。現代なら片方だけのイアリングであってもファッショナブルだが、当時のエジプトは壁画に見るように左右対称が理想であったから、クレオパトラは片方だけのイアリングをもはや使うことはなかったことは確実である。人々は、この真珠はよほど大きかったと信じたのか、ローマに持っていかれ、二つに切断してヴィーナスのイアリングにされた、という話が伝わっている。半分に切っても十分見栄えするくらい立派なものだった、と。それほど立派な真珠であればこそ国を賭けた博打に使われたのである、というわけだ。

グレシャムの真珠飲み

クレオパトラの故事を知っていたのかどうか、女王陛下におべんちゃらをして真珠を飲んで見せたのが、「悪貨は良貨を駆逐する」という名言を吐いたサー・トーマス・グレシャムである（故に、この貨幣の法則を「グレシャムの法則」と呼ぶ）。

貴族生まれのグレシャムは、王室財務官となって、大航海時代に突入して盛んになった海外貿易の為替で大儲けした人である。彼は、ロンドンのシティーに為替の大取引所を建設し、世界経済の中心地とするのに大いなる功があった。一五七一年、グレシャムは為替取引所の竣工式の晩餐会にエリザベス女王を招待した。参会者全員が席に着くや、グレシャムは立ち上がり、砂糖のかわりに価格一五〇〇ポンドの大粒の真珠を粉々に砕いてぶどう酒に入れ、「女王陛下の健康を祈って乾杯」と叫んで飲み干したそうだ。おそらく、エリザベス女王の庇護の下で大儲けできたことを喜び、目立つパフォーマンスで感謝の意を表したのだろう。その甲斐あって、女王はこの取引所を公認し、以後「王立取引所」と呼ぶ許可を与えたのである（故に、科学史家の板倉聖宣が主張する如く、「王立」取引所ではなく「王認」取引所と呼ぶべきかもしれない）。

とはいえ、名門貴族出身なのに、いかにも成金趣味のパフォーマンスであったせいか、竣工式の記録にも歴史書にも、グレシャムの真珠飲みの記録はない。ただ、当時の戯曲のセリフとして、

かくて一打ちで一五〇〇ポンドが消え、グレシャムは砂糖にかえて真珠をもって、女王陛下の健康を祝し杯をあけた

が残っているに過ぎない（『エピソード科学史』1）。だから、本当にあったことなのかどうか、今ではわからなくなってしまった。そもそも当時、乾盃の際、ぶどう酒に砂糖を入れて飲む習慣があったのだろうか。しかし、新興の貿易・商業従事者に押されて凋落《ちょうらく》気味であった貴族階級の一員として、グレシャムは、自ら為替取引で大儲けしたことを派手に示したかったのだろう、と私は想像している。

グレシャムの名誉のために、彼が本物の貴族精神の所有者であったことを述べておきたい。グレシャムは、生前に貯めた膨大な資産を、市民のための教育機関の設立のために使うよう遺言していたのだ。当時、イギリスにはオックスフォード大学とケンブリッジ大学しかなく、定員は六〇〇人程度で、ジェントルマンと呼ばれるエリートしか高等教育を受けることができなかった（改善されたとはいえ、今もなおその傾向はある）。

グレシャムの遺産で建設されたグレシャム・カレッジは、法律・神学・修辞学・音楽・医学・天文学・幾何学のリベラルアーツ七人の教授を専任として雇い、市民を対象として英語とラテン語で公開講義を行うための三階建てのビル群として建設された。いわば、市民に開かれた大学が

グレシャムの遺産によって創建されたのである。この建物は、後に王立協会（ならぬ王認協会ロイヤル・ソサイエティー）の本部としても使われ、公開実験や研究発表が行われた。グレシャムは、決して私腹を肥やすためのみに金儲けしたのではなく、優れた貴族精神を持っていたことがわかる（もっとも、一六六六年九月二日のロンドン大火の際、奇跡的にグレシャム・カレッジの建物は延焼を免れたが、教育のためではなく、まず焼失した取引所の代わりに使われたそうだ。いずれの時代にも、いずこにおいても、学問より経済が優先されるのだろうか。財務家・金融業者であったグレシャムが寄贈した建物だから、そうせざるを得なかったのかもしれないが）。

真珠の効用

プリニウスの『博物誌』には、真珠を使った薬の処方も書かれている。あまり値打ちのない真珠の玉を粉々にすり潰し、酢に入れて溶かして飲めば通風の良い薬になる、と。その一例として、カエサル派の政治家であったクロディウスが、砕いた真珠を酢に溶かした杯を客の一人一人に配り、「真珠がどんな味であるのか、みんなで大いに楽しもう」と振る舞った逸話を伝えている。

真珠は、ほとんどが鍾乳洞の岩石と同じ成分のアラゴナイトという結晶形をした炭酸カルシウム（石灰）の固まりだから酢（酸）に溶けやすい。また、真珠には硬タンパク質のコンキオリンやアミノ酸が数パーセント含まれており、その微量成分が解熱・鎮痛・鎮咳・滋養・強壮に効くとされている。

事実、中国では、二〇〇〇年も前から漢方薬の材料として真珠が使われてきた。子どもの頃、扁桃腺《へんとうせん》が腫れて「六神丸」を飲まされた記憶があるが、これには真珠・牛黄・麝香《じゃこう》などが含まれている。確か江戸時代の落語に、真珠の粉で目を摩《さす》ると効能があるとして、遊女が目を患った色男のために大金をはたく話があった。真珠の輝きで目の輝きも回復させられると信じたのだろうか。現在では、点眼水として「真珠滴眼液」が中国北海市珍珠公司という真珠製造の国営企業によって販売されているらしい。

また、コンキオリンというタンパク質の働きを利用したさまざまな化粧品や石けんが御木本製薬から製造・発売されている。確かに、あの真珠のようなツルツルの輝く肌になるなら、使いたくもなろうというものである。さらに、真珠貝の身や貝殻を粉末にしてブドウ糖やショ糖と混ぜて飲みやすくした健康食品が発売されている。真珠貝の身や貝殻に含まれている薬効成分が使い尽くされているのだ(『真珠物語』)。

むろん、真珠は、ネックレス・ペンダント・イアリング・ピアス・ブローチ・指輪・ブレスレット・カフスボタン・ネクタイピンなどの装飾品に多く使われている。安価なものから高価なものまで、選り取り見取りだから、比較的手に入れやすい宝石である。といっても、そうなったのは養殖真珠が本格化した一九一〇年以降のことで、それまで真珠は庶民には手の届かない宝石であった。御木本幸吉に代表される日本人によって養殖真珠製造法が開発され、私たちもクレオパトラの気分を少しは味わえるようになったのだ。真珠養殖の技術の歴史を追ってみよう。

養殖真珠の歴史

鉱物の宝石とは異なって、真珠が貝の働きによって作られることは昔からわかっていた。ヨハン・ベックマンの『西洋事物起源』に「哲学者アポロニウスの伝えるところによれば、貝に真珠を作らせる技術が一世紀に紅海沿岸の住民に知られていたという」と記述されているからだ。しかし、その技術の詳細は不明のままであった。どうやら、中国人が採用していたイガイの一種に真珠を作らせる方法がヨーロッパでも試されていたらしい。

中国で採用された方法については、『文昌雑録』という一一六二年に発行された歴史書の一〇八三年の項に、「ドブガイの大きなものを清水に浸し、口を開けたときに人工で作った珠を内に投じて、清水をたびたび取り替えておくと、二年くらいで真珠ができる」と書かれているという。こうしてできた真珠の粒は半球で、貝殻が光背のようにくっついた「仏像真珠」(あるいは、「半形真珠」)であった。また、貝が珠を吐き出してしまうことが多く成功率も小さかった。このように真珠を養殖する方法はわかっていたが、思い通りに真珠を作らせるのにはなかなか成功しなかったのである。

この、『西洋事物起源』には、植物分類学の始祖として著名なリンネの、真珠を巡る興味深いエピソードが書かれている。リンネは、著書『自然の分類』の第六版に、「真珠、貝殻の外側に孔があけられた場合、貝殻の内側にできる異常成長物」と記述しており、真珠ができる過程を理解していたらしい。そして、一七六一年に、「イガイに真珠を作らせる技術を発見した」という報告書をスウェーデン国王に提出し、王国の利益のためにその方法を公開すると申し出た。しかし、結局はそうせず、その方法をバッグという商人に一万八〇〇〇枚の銅貨で売ってしまったらしい。リンネにとって、真珠より植物研究の方が大事であったのだろう。

要するに、真珠とは、ある種の貝が異物を呑み込んで、自らが分泌した石灰質の結晶が異物の周りに集積していったもの、つまり貝殻の内側の七色に輝く成分（これを「真珠層」と呼ぶ）が積み重なった粒、なのである。農林水産省の定義によれば、「「真珠」とは、生きた真珠貝の中で球状または半球状（多少の変形を含む）に形成された代謝生成物であって、かつ、その外見しえる部分のおもな構成物質が、真珠貝の真珠層と等質であるものをいいます。なお、その内部に貝殻質からつくられた核を含むか否かは関係ありません」となっている。そして、「真珠貝中におけるその形成契機に、まったく人為的な要因を含まないものを「天然真珠」、その契機を人為的に与えられるものを「養殖真珠」といいます」と、天然物と養殖物の区別をしている（『真珠物語』）。これによれば、天然と養殖の区別として真珠貝が異物を呑む契機が人為的かどうかだけの差となっている。しかし、真珠貝の活動は水温・塩分濃度・水の動き・餌の量・溶け込んだ酸素量などの影響を受け、寄生虫の発生や細菌の感染などの問題も関係するから、養殖の場合、これら真珠貝の生息環境をも人為的に管理・整備していると付け加えねばならない。例えば、海洋細菌から真珠貝を守るために、カナマイシンや合成ペニシリンなどを使っており、養殖魚と同じような手間をかけているからだ。

真珠養殖競争

最初に真珠の養殖に成功したのは、有名な御木本幸吉で、一八九三年のことである。アコヤガイに異物を呑み込ませて作ったのだが、初めは半球殻付き真珠（つまり「仏像真珠」）であった。真珠養殖に成功したとはいえ、これでは用途が限られるし、天然物に劣ることは明白である。そこで、まん丸の粒の真珠（「真円真珠」、当時の言い方では「真丸《しんまる》」）作りが最大の目標になった。

真円真珠の養殖に成功したのは、御木本幸吉の妹婿の西川藤吉で、一九〇七年（特許が認められたのは一九一七年）のことである。真珠貝の肉身（軟体組織）を包むのが外套膜《がいとうまく》で、ここから石灰質の結晶が分泌される。それがそのまま貝殻内部に付着したのが真珠層である。そこで、軟体組織の部分に、外套膜そのものか、外套膜になる細胞を移植すれば、そこから分泌された真珠層が軟体組織内で真珠袋を作り、そこに分泌物が集積して真円の真珠になるという、基礎的な真円真珠生成の機構をまず明らかにした。西川藤吉は、農商務省の技師としてアコヤガイの生態研究を行い、その後真珠養殖に転じた人である。彼は、基礎研究によって、真珠を作る基本組織が外套膜にあることを発見した。ならば、外套膜になる細胞の一片（ピース）を注射針で軟体組織に挿入してやればよいのではないかと考え（これを「ピース法」と呼ぶ）、見事成功させたのだった。御木本幸吉が全くの経験主義であったのと対照的に、理論と実験を組み合わせて追究したのである。

体内に挿入した外套膜で真円真珠を作らせることができるという原理がわかると、その挿入法についてさまざまな手法が開発された。御木本幸吉は外套膜で核を包んで体内に移植する「全巻式」を案出し（一九一九年特許）、見瀬辰平は外套膜の細胞を小さく開けた毛細孔を通して体内に挿入する「誘導式」を提案した（一九二〇年特許）。現在でも採用されているのは、作業が最も簡単で成功率が高い西川の「ピース法」だが、三つの方法がほぼ同じ時期に出そろい、激しい特許権争いが起こったそうだ。

このような競争による切磋琢磨もあって、長い間真珠養殖の技術は日本のお家芸であったが、今や世界中に広まり、逆輸入される時代になってきた。例えば、琵琶湖ではイケチョウガイを使って淡水真珠「びわこ」が生産されてきたが、年々中国からの輸入が増え、今や存亡の機に瀕している。

真珠の色と光沢

真珠には、白・銀白・クリーム・金・青・黒・ピンクなど、さまざまな色調がある。俗に言う「黒真珠」は、クロチョウガイだけから採れる黒い色の真珠のことで、光の複雑な屈折と干渉のために、漆黒から暗灰色までいろいろな濃淡がある。俗称「くろ真珠」は、「黒真珠」とは別物で、その色合いはブルー系である。真珠層が成長し始める初期に石灰質が均一に分泌されたため(黒っぽい)ブルーに見えるらしい。石灰質が不均一にしか分泌されないと、いわゆる青い「しみ」とか「きず」のように見えるということになる。

一般に、やや黄色みがかった真珠が多く、その度合いによって、淡黄色・クリーム色・金色(ゴールド)と呼び名も変わる。しかし、黄色みがかったものより、銀白や白色にピンクが混じったものの方が高い値段がつくので、養殖業者にとって黄色が出ない真珠を作り出すことが最大の苦労であるようだ。真珠層に分泌される黄色の色素(鉄とポリペプチドの錯体)が関係しており、移植片のためか、環境(塩分の濃さ、貝の生理活動、母貝の年齢、海面からの深さなど)のためか、遺伝のためかと、原因が詳しく研究されている。

真珠が放つ鈍い光沢の秘密は、真珠層内のコンキオリンの薄い膜とあられ石(アラゴナイト)の結晶が、交互に積み重なって層状構造をなしていることにある。真珠に当たった光は、一部は表面で、一部は真珠層内部で、反射され、それらが互いに干渉するため鈍く輝く。従って、大きな結晶で、しかも同じ厚みの層が規則的に積み重なっていれば、反射光の干渉が強くなって光沢が良くなり、ときにピンクの模様が現れたりする。結晶が成長するのは水温が二〇度から一二度に下がる秋から冬にかけての時期であり、この時期の光沢が最高となるので、真珠の浜揚げは晩秋ということになっている（『真珠物語』）。

人造真珠

養殖真珠が日本で開発されるまで、本物の真珠は値が高く、庶民にとっては簡単に手に入るものではなかった。そこで、安い人造真珠を作ろうという輩が現れた。ガラスビーズを外側から乳白色に着色したり、中空のビーズ内部に真珠色のニスを塗ったり、蝋やゴムに真珠色のエナメルを被せたりと、さまざまなニセ真珠作りが行われてきた。残念ながら、色や光沢が安っぽかったり、湿気で色が変わってしまったり、すぐに美しさが失われてしまったりで、一七世紀まで成功しなかった。

『西洋事物起源』によれば、ついに人造真珠の製造に成功したのは、フランスのビーズ製造業者のジャカンで、一六五六年のことであった。彼は、魚のうぐい（はや）の鱗を柔らかい粉にし

（これを「東洋のエッセンス」と呼んだそうだ）、それを石膏（石灰から成る）のビーズに膜状に塗りつけることによって、天然の真珠によく似た模造真珠を作り出すのに成功したのだ。ところが、この真珠膜は熱に触れるとすぐに剥がれ、皮膚にくっついてキラキラ光るという欠点があった。そこで、中空のガラスビーズの内側にメッキして、この欠点を解決して大いに評判を得たのである。

現在でも、基本的には同じ手法で人造真珠が作られている。魚の鱗にはグアニンというタンパク質が含まれており、その粉を砕いて薄い膜として真珠核やガラス玉の表面に塗るのだ。この膜が熱で剥がれないよう炭酸鉛を含ませ、光沢がでるよう何重にも重ね塗りして本物らしく見せている。同じ値段だったら、人造真珠の方がきれいに見えると、なかなかの人気であると聞く。

白き玉物語

さて、真珠談義も終わりに近づいてきたので、真珠に関わる日本の古典文学に立ち寄っておこう。

『万葉集』で、「珠」あるいは「白玉」と呼ばれているのが真珠のことだそうで、中皇命《なかつすめらみこと》は、

吾が欲りし　野島はみせつ　底深き　阿胡根の浦の　珠ぞ拾はぬ（巻一・一二）

と詠っている。野島は紀伊の日高川の下流地域で、その海岸が阿胡根の浦である。斎藤茂吉の解釈では、「私の希《こいねが》っていた野島の海浜の景色はもう見せていただきました。けれど、底の深い阿胡根の珠はいまだ拾いませぬ」、つまり「此処《ここ》深海の真珠が欲しいものでございます」とおねだりしているそうな(『万葉秀歌』上)。紀伊の浜は真珠の名産地らしく、

紀の国の　浜に寄るとふ　あはび珠　拾はむといひて　妹の山勢の山越えて　行きし君……(巻一三・三三一八)

という歌もある。巻一三には、飛鳥・藤原時代の古い歌が集められているそうで、この頃に「あはび珠(真珠)」が紀伊の浜で見つかるという評判でもあったのだろうか。

大伴家持が越中守として富山に滞在していたのは天平一八年(七四六年)からの五年間だが、その間に能登半島の真珠採りの話を聞いて「興に依りて作」った「真珠を願ふ歌一首並びに短歌」を巻一八に残している。長歌の出だしは、

珠洲《すす》の海人の　沖つ御神に　い渡りて　潜《かづ》き採るといふ　あはび珠　五百箇《いほち》もがも……(四一〇一)

で、多くの真珠が採れるさまを誇らしげに詠い、

沖つ島　い行き渡りて　潜くちふ　あはび珠もが　包みて遣らむ（四一〇三）

吾妹子が　心慰《なぐさ》に　遣らむため　沖つ島なる　白玉もがも（四一〇四）

など、京に残した妻の坂上大嬢に真珠をたくさん送りたげな風情である（『万葉集』巻一八には家持の歌が多く並んでいるが、この真珠の歌はおもしろい位置にある。少し前には、陸奥で金が発見された喜びを詠った長歌――あの有名な「海ゆかば　水漬《みづ》く屍《かばね》　山行かば　草生《む》す屍」のフレーズのある歌――があり、すぐ後には、部下のセックス・スキャンダルに対して国府の長官として「教へ喩す」長い序文がついた長歌があるからだ）。

やがて、単身赴任していた家持のところへ妻の坂上大嬢がやってきた。彼女の母の坂上郎女《さかのうえいらつめ》に贈る歌を「誂《あとら》へらえて」作った長歌で、

……余呉の海人の　潜《かづ》き取るとふ　真珠《しらたま》の　見がほし御面《みおもわ》……（巻一九・四一六九）

と詠い、反歌で、

白玉の　みがほし君を　見ず久に　夷《ひな》にしをれば　生けるともなし（四一七〇）

と、いかにも母を思う娘の気持ちを上手に代作してやっている、と言ってしまえばいいのだが、そうでなく彼の真情が籠った歌かもしれない。実は、坂上郎女は家持の叔母（父大伴旅人の妹）で、母を早く失った家持の面倒を見、歌を教えてくれた人であったが、互いに秘かに恋心を抱き合っていた二人でもあったからだ。実際、越中に赴任した家持に坂上郎女から、

常人の　恋ふといふよりは　余りにて　吾は死ぬべく　なりにたらずや（四〇八〇）

片思を　馬に太馬《ふつま》に　負《おは》せもて　越辺に遣らば　人衒《かた》はむかも（四〇八一）

のような熱烈な思いが籠った歌が届き、それに呼応するかのように家持も、

天ざかる　ひなの奴に　天人《あめひと》し　かく恋ひすらは　生けるしるしあり（四〇八二）

常の恋　いまだ止まぬに　都より　馬に恋来ば　荷《にな》ひあへむかも（四〇八三）

と、相聞の歌を返している。とすると、家持の真珠を詠んだ歌に坂上郎女への恋心が込められていると考えるのは、下司の勘ぐりとも言えないだろう。「真珠と家持」は、歴史に秘められた恋のエピソードなのかもしれない。

最後に、『竹取物語』に触れておこう。かぐや姫は、五人の求婚者のうちの一人、庫持皇子《くらもちのみこ》に対し、

東の海に蓬莱といふ山あるなり。それに銀《しろがね》を根とし、金《こがね》を茎とし、白き玉を実として立てる木あり。それを一枝おりて給はらん

という「玉の枝」という難題を出す。この「白き玉」とは真珠のことである。中国の伝説に伝えられる、東方の海上にある蓬莱島《ほうらい》とは実在するかどうかすら定かでない上、銀と金と真珠でできた木を取ってこいというのだから、いかにもかぐや姫は無理難題を出したものだ。つまり、婉曲に断っているのだが、庫持皇子は諦めることができず、玉の枝のニセモノを工匠に作らせて持参することにした。そもそも、庫持皇子という名のクラ（庫）をヤミ（闇）にかけて「心たばかりある人」を意味し、奸計によって玉の枝を作ることを前もって暗示している、と国文学者は解

釈している（『竹取物語』）。結局、ニセモノであることが、手間の禄を要求する工匠たちによって暴かれ、

誠かと　聞きて見つれば　言の葉を　飾れる玉の　枝にぞありける

とわかって、かぐや姫は「心ゆきはて（気持ちがすっきりする）」るのであった。

実は、この「玉の枝」の挿話では、竹取の翁の振る舞いがおもしろい。彼は、初めは皇子と姫の間に立って積極的に働き、嫌がる姫に決断を迫って二人の寝所まで準備するのだが、皇子の奸計がばれると寝たふりをしてごまかすという具合である。きっと、かぐや姫が皇子と結ばれれば、自分にも富と栄誉が回ってくると期待したのだろう。子ども向けの絵本の『かぐや姫』にはこんな場面は描かれていないが、『竹取物語』は聖と俗の対立・葛藤を描いた作品で、竹取の翁の俗人ぶりも主題の一つという読み方もできそうだ。こう解釈すると『竹取物語』は、天然真珠と養殖真珠と人造真珠、それらの虚と実のせめぎ合いに似た物語と言えそうな気がするのも間違いではなさそうである。

第8章「かつお」――つれづれに鰹は食ふな

初鰹

陰暦の四月、相模湾沖でとれた鰹は、特に「初鰹」と呼ばれ、初物好きの江戸っ子が着物を質に入れてまで食べるくらい人気があったそうだ。『誹風柳多留《はいふうやなぎたる》』には、初鰹で始まる川柳が三〇以上も収録されている。それだけ人々の関心が高かったのだろう。とはいえ、「初かつほ　十けんよんで　壹本売れ」（第九編）とあるように、やはり庶民にとって初鰹は高嶺の花で、簡単には手を出せなかった。思い切って買おうと相談が決まっても、「初かつほ　内儀こわこわ　百に付け」（第四編）と、清水の舞台から飛び降りるような気分である。女房に言わずに、着物を質に入れて買おうものなら、「初かつほ　女房に小壹年いはれ」（第一五編）と、一年中ずっと愚痴られることになる。それを恐れていては、「初鰹　玄関をふまぬ　ざんねんさ」（第二四編）となってしまう。なんとかお金の工面をして手に入れると、「初鰹　薬のやうに　もりさばき」（第一編）と、貴重品扱いでこわごわ料理にかかることになる。とはいえ、鰹は酒のときにこそ旨いもので、「初鰹　めしのさいには　あぢきなし」（第五編）と、ちょっと贅沢を言ってみたくなる。もっとも、「初かつほ　女房あたまもくふ氣也」（第一七編）という相棒のしたたかさは、わが家でも同じである。

俳句でも、一茶は、

鰹一本に長家の　さわぎ哉

と、江戸の下町での初鰹騒ぎを微笑ましく描いている。長屋中に知れわたると、せっかく無理して買っても、お裾分けで自分の口に入るのは少なくなってしまうだろうに。それも江戸っ子の粋というものだったのかもしれない。芭蕉は、

鎌倉を　生《いき》て出《いで》けむ　初鰹

と、初鰹の生きの良さを愛でている。『大和本草』に、「初松魚《かつお》、相州鎌倉、或は小田原の辺にこれを釣て江府に送る。その早く出るものを初鰹と称し、賞味す」と書かれている通りである。ここで、鰹を「松魚」と書く由来は、『東医宝鑑』の「肉肥、色赤くして鮮明なること、

松の節のごとし。故に松魚とす」にあるらしい。また、その姿形から「烏帽子魚《えぼし》」とも呼ばれたそうだ（『俳諧歳時記栞草』）。

山口素堂《やまぐちそどう》の有名な句、

目には青葉　山郭公《ほととぎす》　初鰹

は、初夏の爽やかさや躍動感が見事に凝縮されている。生きの良い初鰹は、夏を迎える季節とピタリ一致する感があるからだろう。鰹は、黒潮に乗って北上する魚で、二月から三月頃に八重山・宮古海域を出発し、土佐沖を経て四月から五月頃に相模湾付近を通過して、七月から八月頃に三陸沖に達する。五月の鰹は、鰯をたっぷり食べて四キロくらいまで太っており、脂質が三パーセント程含まれていて旨いので、江戸っ子の人気を呼んだのだ。もっとも、脂っこい物を好むようになった現代人には、初鰹よりも、九月頃に三陸沖から南に向かって回遊する「下り鰹」の方が人気らしい。下り鰹には脂質が一〇パーセントも含まれており、脂身は初鰹より多いためだ。

兼好と鰹

ところで、江戸の川柳には、

つれづれに　鰹は食ふな　鯉を食へ

初鰹　なに兼好が　知るものか

と、『徒然草』を書いた吉田兼好に当てつけた句がある。なぜ、江戸っ子たちは、兼好を目の敵にしたのだろうか。

それは、兼好が『徒然草』第一一九段で、鎌倉の海から揚がる鰹のことを地元の漁師に、

この魚、おのれら若かりし世までは、はかばかしき人の前へ出づること侍らざりき。頭は、下部も食はず、切りて捨て侍りしものなり

と言わせ、自分の意見として、

かやうの物も、世も末になれば、上ざままでも入りたつわざにこそ侍れ

と書き付けているためである。兼好にとっては鰹は下賤の魚であり、それが高貴の者の食事にまで入り込んできたのを「世も末」と嘆いたのだ。その前の第一一八段で、

鯉ばかりこそ、御前にても切らるるものなれば、やんごとなき魚なり

と、鰹より鯉に軍配を上げている。兼好にとっては、鰹で象徴される鎌倉（東）文化よりも、鯉で象徴される京文化の方が好ましかったのだろう。江戸っ子から見れば、兼好は初鰹の味がわからない唐変木《とうへんぼく》、というわけだ。芭蕉の先の句も、江戸っ子の肩を持つという態度表明、と解釈できないでもない。それにしても、江戸の川柳作家は『徒然草』を知っていたわけで、江戸川柳を侮るべからずと言うべきだろう（『「徒然草」の歴史学』）。

歴史を調べてみれば、兼好は間違っていたことがわかる。鰹は、古代から食用として使われており、万葉時代から貴族階級に供されていたからだ。事実、「藤原京木簡」や「平城京木簡」そして「養老令」に、鰹やその加工品が「調（律令制下の税）」として納められていたことが記録されている。そこには「堅魚」と書かれているが、「堅く乾燥させた魚」でカツオと読んだらしい。

後に、堅と魚を合体させて鰹と書くようになった。『万葉集』の高橋虫麻呂の長歌の冒頭は、

春の日の　霞める時に　墨吉《すみのえ》の　岸に出で居て　釣舟の　とをらふ見れば　古の　ことそ思ほゆる　水江《みずのえ》の　浦島子が　鰹釣り　鯛釣り誇り　七日まで　家に来ずて　海界《うなさか》を　過ぎて漕ぎ行くに　海神《わたつみ》の　神の娘子《をとめ》に　たまさかに　い漕ぎ向ひ　相とぶらひ

……（巻九・一七四〇）

で、有名な浦島伝説を詠んだものである（『私の万葉集』3）。ここにあるように、浦島は漁に出て鰹や鯛を釣り上げているうちに海の境を越えてしまい、そこで海神の娘と出会ったという物語である。私たちが知っている、浦島が亀を助けて竜宮城へ招かれる話は、少なくとも万葉時代にはなかったのだ。仏教的な動物報恩譚が付け加わったのは、室町時代の御伽草子あたりらしい。

この歌に鰹釣りがある。鰹は釣れ始めるとどんどん釣れることが知られており、夢中になって釣っているうちに海に迷ってしまったとする物語の発端は極めて合理的である。大量にとれると、それを干して鰹節にすることは万葉時代には始まっていたと想像できる。さらに、鰹鮨《すし》・煮鰹・鰹煎汁《せんじゅう》・荒鰹などにして、平安時代の貴族階級は鰹料理を楽しんでいたらしい。鰹煎汁とは鰹を煮立ててとった出し汁のことで、鰹は既に調味料としても使われていたのだ。であれば、兼好は厨房でどんなふうに料理を作っているか知らなかったのだろう。あるいは、刺身やタタキとして

生の鰹を食べる習慣が鎌倉にあって、兼好はそれを嫌ったのかもしれない。いずれにしろ、鰹は日本古来から重要な海の幸であり、江戸っ子が抗議しているように、兼好が文句を言う筋合いではなかったのだ。

鰹の「うま味」

人間は外界を認識するために五つの感覚（器官）を持っている。視覚（目）・聴覚（耳）・触覚（肌）・嗅覚（鼻）・味覚（舌）である。その中で、味覚は比較的研究が遅れている分野と言えるかもしれない。未だに、アリストテレス流の「四原味説」が罷《まか》り通っているためだ。四原味とは「甘い」「酸っぱい」「塩からい」「苦い」のことで、それらの組み合わせによってすべての味わいが生じるとするのが四原味説である。それらの原味を感知させる代表的な「味物質」は、甘い＝ショ糖、酸っぱい＝塩酸、塩からい＝塩化ナトリウム、苦い＝キニーネで、生理学者はこれらの味物質を使って人間の味覚の仕組みを研究してきた。

しかし、これではあまりに単純すぎて、何かが欠けているような気がする。欧米で使う調味料は、砂糖・塩・コショウ・酢だが、日本では、料理の味付けに昆布や鰹や椎茸を使ってきた。醤油や味噌も重要な調味料である。それらが料理の味を良くしているのは事実であり、また生体にとって良い効果もあるはずで、四つの原味以外にもう一つ区別すべき味覚がある、と主張したのが日本の化学者であった。

原点に戻って、人間（動物）が必要とする栄養素と味覚の関係を、もう少し詳しく考えてみよう。エネルギー源である炭水化物は「甘味」で感知し、「ショ糖」がその代表的な味物質である。神経伝達機能を保持するためのナトリウム・イオン（第9章参照）などの体液のバランスは「塩味」で調整しており、塩化ナトリウム（食塩）が味物質である。これら二つの味覚は、人間が生きていくために積極的に取り入れる必要がある物質を感知する目的で備わっていることになる。逆に、体内に取り入れると危険な物質もあるから、それらを感知し警告するための味覚もある。腐敗や果物の未熟さを知らせるのが「酸味」で、タンパク質が変性した後の強い酸性を感知している。味物質は塩酸である。タンパク質の破片は有害物質であり、「苦味」がその危険を知らせる信号で、キニーネがその味物質となっている。つまり、これら二つの味覚は、有害物を検知する役割を担っている、というのが通常の説明であった。

ところが、これだけでは重要な栄養素が抜け落ちている。酵素や筋肉を作るタンパク質の構成要素であるアミノ酸と、遺伝子の素であるヌクレオチド（核酸の構成単位）である。これらを積極的に摂取しようという味覚があれば、生き残りにとって有利となるはずだ。これらを好ましいと感じる味覚、「うま味」があるに違いない（もう一つの重要な栄養素である脂肪は糖分から合成できるので、特別にそれを感知する機構は必要でない）。

そのように考えたのは、ロンドン留学時代に夏目漱石と交友があった池田菊苗《いけだきくなえ》である。彼は、肉類や魚類を旨いと感じ、鰹節や昆布の煮出し汁がいっそう強く「うま味」を引き出すのは、そこに何らかの「うま味」を喚起する物質があるはず、と考えたのだ。そこで、昆布を使って「うま味」の素となる物質を探し求めた。その結果、一九〇八年に発見したのが、アミノ酸の一種であるグルタミン酸であった。それをナトリウムと結合させた「塩類」の形の調味料とし、早くも一九〇九年五月二〇日に「味の素」の名で発売を開始した。古代から使われてきた昆布に着眼したのは、文学や歴史にも造詣が深かった池田菊苗らしいと言えそうだ。

これにヒントを得て、鰹節の「うま味」が核酸を構成するヌクレオチドの一種であるイノシン酸であることを明らかにしたのが小玉新太郎で、一九一三年のことである。さらに、國中明《くになかあきら》は、酵母が作る核酸の化学構造とその呈味性の関係を徹底して調べ上げ、グアニル酸が核酸系のもう一つの「うま味」物質であることを明らかにした（一九五八年）。これが干し椎茸の「うま味」成分であることもわかった。こうして、今や世界中で「うま味」調味料として使われるようになった三大「うま味」物質はすべて日本人によって発見されたのである。

もっとも、アミノ酸や核酸に「うま味」を感じる味細胞が動物の舌に存在しなければ、それを最終的に証明したことにならない。そこで、犬やラットを使って味覚反応の研究がなされ、アミノ酸・核酸・塩を組み合わせたものに非常に高い感受性を示す味細胞が発見された。昆布出し汁に醤油を使ったり、鰹出し汁に塩をふったりすれば、いっそう「うま味」が増すのは、これらの組み合わせが舌に快く感じられるためである。その意味で、「うま味」は他の四つの味より複雑と言える。このような歴史を経て、四原味に加えて五つ目の基本味である「うま味」が科学的に認知され、UMAMIは国際語として通用するようになった。とはいえ、欧米人はアリストテレスの権威に弱いのか、素直には認めないそうだ（『味と匂いのよもやま話』）。

かつて、寺田寅彦は「風土の科学」を提唱した。科学は、本来国境を超えて世界中どこでも普遍的に成立する真理を追究するものだから、何だか矛盾しているような表現である。しかし、寺田は、日本には日本の風土に起因した科学の課題があり、それはいずれ世界でも重要な課題になる、と言いたかったのだ。彼自身、「尺八の物理学的研究」を博士論文として提出している。日本固有の楽器の尺八を使って普遍的な科学理論である音響学を論じたのだ。池田菊苗の「うま味」の研究も、典型的な「風土の科学」であった。実際、鰹の煮出し汁は奈良時代から使われていたし、昆布出し汁は平安時代には登場しており、干し椎茸は日本神話に「香ばしい椎の木のきのこ」と記述されている（福岡市の「香椎宮」は、これが語源となっている）。「うま味」は、まさに一五〇〇年の歴史を秘めた「風土の科学」であったのだ。

鰹のタタキと鰹節

高知に行くと一年中「土佐造り」を味わうことができる。鰹のタタキ、である。薬味として分厚い生ニンニクと海草が添えられ、濃厚な土佐醤油をつけて食べる。脂っこさや臭みを消す工夫なのだろう。しかし、なぜ鰹のタタキが旨いのだろうか。

回遊魚である鰹は、紡錘形の体で、黒潮に乗って猛スピードで泳ぐ。そのエネルギー源はATP（アデノシン三リン酸）である。ATPは核酸の一種で、三個のリン原子が酸素を挟んで結合しており、そこに膨大なエネルギーが蓄えられている。この部分が分解されるとエネルギーが放出され、筋肉収縮やイオン輸送に使われるのだ。鰹は回遊中、ATPを体内に多く蓄えており、釣り上げられて死ぬと、ATPが分解して「うま味」成分の一つであるイノシン酸に変わる。鮮度が良いと、鰹の身には、まだイノシン酸が多くできていないので味が薄い。そこで、ワラ灰の火で燻《いぶ》し焼きにして皮を焦がし、ネギなどの薬味をあてて表面を叩く。皮を焼くことによって生臭さをとり、軽く叩くことによってATPの分解を促してイノシン酸を増やしているのだ。これが鰹のタタキの秘密である（もっとも、時間が経つにつれイノシン酸も分解していくから、鮮度が落ちた鰹はいくら叩いても旨くならない）。

一方、鰹節の製造では、まず身を煮沸した後に燻煙を通して焙乾し、カビ付けと日干しを繰り返して芯まで乾燥させている。そのためイノシン酸が変質せず、長く良い味が保たれることになる。いわば、鰹節はイノシン酸の固まりと言える（『魚料理のサイエンス』）。カンナのようなもので鰹節をちょっと厚めに削って熱いご飯に載せ、醤油を少しかけると実に旨かったことを思い出す。腹が減ってたまらないときは、鰹節にかぶりついてしゃぶったものである。しゃぶり跡を見て、「うちには丸坊主の猫がいるらしいな」と母に言われたものだ。鰹節が日常にあったのは私の子どもの頃までで、今やパック詰めの削り鰹になってしまった。パリパリの薄い削り鰹では、風味も風情もあったものじゃない、と文句を言いつつお茶漬けに使っている。

かつて、高知に行ったときに「生節」を土産に買ってきた。三枚におろした身に塩をして煮沸したもので、鰹節の風味があって、歯の悪くなった私でも苦労せずに噛みきることができるという重宝なものであった。この加工法は、最近開発されたのかと思っていたら、古くからあったという。鎌倉時代の武士が戦に出かけるとき、「生利節」として提げていったらしい。戦場の貴重なタンパク源であったのだ。ただ、長もちさせるために、煮沸したあと一回燻煙を通して焙乾していたようだ。疑似鰹節である。現在では、真空パックに詰められるから焙乾が不必要で、いつも柔らかい鰹節が食べられるというわけである。

第9章　「ふぐ」――きのふは過てふくと汁

河豚は食いたし

学生時代、私が下宿していたのは吉田神社に向う参道脇の民家であった。怠け者の私だから、大学から遠い所に住むと授業をサボるようになるのではと恐れた兄が、三分で大学の教室に駆け込める近場に下宿を勝手に契約したのである。お隣が歌舞伎俳優の八代目坂東三津五郎《ばんどうみつごろう》の京都の別宅だと下宿の娘さんに聞いて、「守田」の名札がかかった玄関先をよく覗き込んだものだ（八代目の本名は守田俊郎）。しかしながら、この下宿で二年間も過ごしたにもかかわらず、南座での師走の顔見世興行のときにちらっと後ろ姿を見ただけで、名優と直接顔を合わせることがなかったから、歌舞伎役者の隣に住んだ御利益にはあずかれなかった。

何年か後になって、新聞紙上で三津五郎が河豚《ふぐ》中毒で亡くなったことを知ったとき、我知らず記事を食い入るように読んだ。彼は、日頃から河豚料理が好きで、殊に唇が痺れるような感覚を好み、板前に肝を食べさせてくれるようねだって河豚毒にやられた、と報道されていた（ように思う)。高級な河豚料理とは無縁な私だったが、好物の河豚を食べてあっさり往生するなんて、いかにも歌舞伎役者らしい粋な死に方だ、と思ったものである。二年間、隣の家に住んだだけだったけれど、昔からの知り合いのような気持ちになって、新聞に載っている八代目の顔写真に向かって手を合わせた。もしかすると、板前さんは江戸川柳にあるように、

河豚売りは　一生後家に　恨みられ

と同じように、三津五郎の御内儀さんに一生恨まれたかもしれない。

日本では、石器時代の遺跡から河豚の骨が出土しており、古代から河豚を食用にしていたのは確かなようである。しかし、肝臓や卵巣、皮膚や腸には猛毒があり、それで命を失った人も多かったに違いない。とはいえ、身は無毒だし、甘酸っぱく実に美味なので、勇気あるグルメたちは、「河豚は食いたし命は惜しし」とディレンマに悩みながらも河豚に挑戦してきたと思われる。

さて、どれくらいの人々が河豚の犠牲になったことだろうか。秀吉が「朝鮮侵略」で兵士を動員したとき、下関に集結した諸国の武士に河豚の内臓を食べて死亡する者が続出したという。海に遠い地方から駆り出されて、これまで口にしたことがない河豚にあたったのだろうか、それとも大義名分のない戦争に駆り出されたため、兵士たちはデスペレートな心理状態になって、「一か八か」の束の間の極楽を待望したのだろうか。

このような膨大な犠牲があったこともあり、江戸時代ともなれば、河豚の安全な料理法が開発されたようだ。しかし、まだ心配だったのだろう、蕪村は、

ふく汁や　おのれ等が夜は　朧なる

と、不安な気持ちを抱きながら友人たちと河豚汁を食べ、

ふく汁の　我活きて居る　寝覚哉

と、ホッした気分を句にしている。きっと、おそるおそる河豚汁をつつき、ひょっとしてもう目が覚めないかもしれない、と覚悟して床に就いたに違いない。目覚めたとき、思い切り手足を伸ばして、生きている喜びを味わったのだろう。そして、河豚が病みつきになったかもしれない。なぜなら、

もち月の　其きさらぎに　鰒《ふぐ》はなし

と、西行の歌に引っかけて、河豚の季節が終わったことを残念がっているからだ。「菜種《なたね》河豚《ふぐ》

は食うな」と言い慣わされているように、産卵期の春先には毒性が強まるのだ。河豚を食べるのは、秋の彼岸から春の彼岸までがよいらしい。

慎重な性格の芭蕉は、

ふぐ汁や　鯛もあるのに　無分別

と、初めは河豚を敬遠していたらしい（「花百韻」の賀子の句という説もある）。ところが、「河豚にも中《あた》れば鯛にも中る」という諺があるように、運が悪いときには安全な鯛に中ることもある、世の中は運次第なのだからと、心を入れ変えて河豚を食べてみる気にはなった。しかし、まだ心安からず、きっと

ふく汁や　あほうになりと　ならばなれ

と、まるで決死隊のような気分で河豚汁に挑んだのであった。その翌日、

あら何ともなや　きのふは過《すぎ》て　ふくと汁

と、蕪村と同じように、いかにもホッとした心境を吐露している。以来、芭蕉も河豚が気に入ったのだろう、『誹風柳多留』で、

鰒を煮る　門を芭蕉は　一人行き（第一五編）

と、命知らずの奴とからかわれている。
無村や芭蕉に比べると、下町の事情に明るかった一茶は、

鰒好と　窓むきあふて　借家哉

とあるように、まず長屋で河豚の味を教えられたのだろう。やがて、河豚の味に通暁するようになり、

五十にて　ふぐとの味を　知る夜哉

と、恬淡《てんたん》と楽しんでいる。そして、河豚が病みつきになって、

鰒する　うしろは伊豆の　岬哉

と、わざわざ伊豆に出かけても河豚汁を食するようになったらしい。しかし、まだ人々は河豚に不安感を持っていたのだろう、一茶が河豚を食べている姿への眼差しは、

浅ましと　鰒や見《みる》らん　人の顔

であった。とまあ、三人の著名な俳人の河豚とのかかわり方は、それぞれの個性が表れていて楽しい。

フグ毒

このように、日本では古くからフグ（以下では、脊椎動物としてのフグを議論するのでカタカナで書く）と付き合ってきた歴史があるためだろう、フグ毒がテトロドトキシンという化学物質によることを解き明かしたのは日本の研究者であった。フグの学名はテトラオドンで、「四つ（テトラ）の歯（オドン）を持つ」という意味がある。歯が非常に強く、顎《あご》の上下に各二枚の歯板を持つことか

らついた名前だが、テトロドトキシン（トキシンは毒物・毒素のこと）もこれに由来する。とはいえ、二枚貝やカニなど多くの動物にも同じ毒素を持つ仲間がおり、フグ特有というわけではない。とすると、毒素は外部にいる細菌起源で、それを取り込んで体内に多く蓄積したフグが強い毒性を持つようになった、と考えて良いだろう。

その一つの証拠として、天然フグの毒が最も強く、湾を仕切って養殖したフグは毒を持つが天然フグほどではなく、網生け簀に囲って養殖したフグは毒を持たないことがあげられる。つまり、自然の海に生息しているプランクトンが毒性（あるいは、毒性を作り出す細菌）を持っており、成育する中でそれをどれくらい多く取り込むかで、毒性の強さが異なってくるのだ。

例えば、渦鞭毛藻《うずべんもうそう》プランクトンは、赤潮のときに大量に発生し、そのためにホタテガイが毒化する。フグ毒は、このようなプランクトンの摂取によるものらしい。外部から取り込んだ水を浄化する肝臓に毒性が強いことは、この外因説を証明している。とはいえ、生殖器は外部環境から守られていることが多いのに、卵巣に毒が多いことから、フグ毒すべてが外因性かどうか疑問を呈する研究者もいる。まだまだ、謎は多いのである。

毒物には、青酸カリやサリンのような人工毒（英語ではポイズン）とトリカブトやフグ毒（テトロドトキシン）のような天然毒（英語でトキシン）の二種類がある。それらの毒性の強さは「半数致死量」という量で表される。毒物を多数の人間が体内に入れた場合、体重一キログラムあたりについて何グラムの量で半数の人間が死亡するか、を表したものだ。毒に強い人も弱い人もいて個人差があるから、統計的な平均量で毒性を表示することになっているのだ。フグ毒の場合は八マイクログラム（一〇〇万分の八グラム）である。従って、体重が五〇キログラムの大人だとすると〇・四ミリグラムが半数致死量となる。サリンなら一〇ミリグラム、トリカブトなら一五ミリグラム、青酸カリなら一四五ミリグラムだから、フグ毒がいかに強力かがわかるだろう。といっても、フグ毒による殺人事件は、あまり聞いたことがない。入手するのが難しいためだろうか。それとも秘かに……。

フグ毒は、もっぱら神経細胞に作用する神経毒である。人体の神経細胞は、細胞膜に包まれているが、静かな状態ではその内側と外側に五〇ミリボルトくらいの電位差がついている。プラスの電気を持ったナトリウム・イオンが、細胞内部に少なく、細胞外部に多いためで、いわば神経細胞は小型電池のようなものである。神経が刺激されて興奮すると、細胞膜に小さな穴（イオン・チャンネル）が開いてナトリウム・イオンが急速に細胞内に流れ込み、一時的に電位差が小さくなる。すると、すぐに穴は閉じ、ナトリウム・イオンはイオン・ポンプによって細胞外に汲み出されて元の電位差に戻る。このような電位差の変化が次々と神経細胞を伝わるのが「神経伝達」の仕組みである。かつては、刺激の伝達は、電流が流れるように、神経を伝わっていくと考えられていたのだが、事実はそうではなかった。音の波が伝わるように電位差の変化が次々と細胞間を伝わっていることがわかってきたのだ。物理的に何らかの物そのものが流れるのではなく、化学的な状態変化の情報が波のように伝播しているのである。

フグ毒のテトロドトキシンは、ナトリウム・イオンが細胞内に入るのを妨げる働きをするらしい。その詳しい機構はまだ明らかではないが、フグ毒が神経や筋肉細胞の表面にあるイオン・チャンネルを塞いでしまうのではないかと想像されている。そのため、フグ毒が入ると、ナトリウム・イオンが移動できなくなるから電位差が変化しない。つまり、興奮を伝達できなくなってしまうため、血管が収縮したままで意識混濁となったり、呼吸麻痺が起こったりし、重篤の場合は死に至る、というわけだ。とはいえ、フグ毒は細胞を破壊するわけではないから、作用は一過性だし、中毒に罹っても数日で回復すると後遺症もない。たとえフグ毒に中《あた》っても、八時間もてば命は大丈夫なのである。そのため、少しくらいの中毒なら何度でも挑戦しようというフグ好きが多くいるのだろう。しかし、免疫ができるわけではないので、中毒を何度も経験したからといって、フグ毒に強い体質になるのではないから変な自信を持ってはいけない。

江戸時代、「フグ中毒だけの名医」という藪医者がいたそうだ。他の病気の見立ては下手なのに、フグ中毒にかかった人だけは運び込めば必ず助かるというのだ。といっても、彼が何か特別な処置法を知っていたわけではない。単に人里離れた所に住んでいるのが「名医」の秘密であった。医者の家に到着するまでに重篤な患者はみんな死んでおり、生きている患者はもはや峠を越えているから、何の処置をしなくても助かったというわけだ。

「毒と薬は紙一重」と言うように、フグ毒の働きがわかると、それを逆用して薬にすることができる。フグ毒によって神経が麻痺するのだから鎮痛剤として好適で、かつてはフグ毒注射用のアンプルが市販されていたそうだ。そこで、アンプル注射のような無粋なものでなく、フグ肝を煎餅などにして、そのまま食べる鎮痛剤が売り出されたら人気がでるかもしれない。「フグ煎餅で頭痛もすっきり」をキャッチフレーズにするのだ。もっとも、味が良くて乱用の危険があるから、すぐに発売禁止になってしまうだろうが。

フグにとってフグ毒とは何か

では、フグ自身はテトロドトキシンに対して耐性を持つのだろうか。蛇は獲物に毒を注入してから食べるから、当然、自分が持っている毒は自身に対して無害である。ところが、フグは毒で獲物をやっつけているわけではないから、下手をすると自分自身が毒にやられかねない。

実験によれば、フグも大量にテトロドトキシンを投与されると、やはり死に至ることがわかっている。ただし、タイやアジのような一般魚に比べると、五〇〇倍以上の耐性を持っているらしい。フグ毒はフグ自身にとっても危険なのだが、抵抗性はずっと強いのだ。それがどのような仕組みによるものか、実のところ、まだよくわかっていない。フグの細胞のイオン・チャンネル数が特に多いのか、その構造が特別になっているのか、いずれにせよ、テトロドトキシンが体内に入っても、フグ自身の細胞ではナトリウム・イオンの動きがあまり妨げられないようなのだ。

では、なぜフグは自らにとっても危険物なのに、テトロドトキシンを体内（内臓、生殖巣、皮膚）に蓄積しているのだろうか。生け簀で飼った養殖フグは毒を持たないが、人工合成したテトロドトキシンを投与すると、やはり体内に毒を蓄積するようになる。フグはテトロドトキシンを体内に蓄積するよう遺伝的にプログラムされているらしい。ならば、フグが毒を持つことに何かメリットがあるはずである。

フグのずんぐりした体型を見れば、あまり速く泳げそうにないことがわかる。外敵に出合ったとき、素早く逃げ去る術を持っていないのだ。そんなとき、フグはプーッと腹を膨らませて敵を威嚇する。フグ提灯みたいに体が二倍もの大きさになって、外敵をびっくりさせるのだ。食道の部分に薄い袋状の膜があって、そこに水中では水を、空気中では空気をいっぱいに吸い込んで、胃に連なる門のところに栓をして風船のように膨張させるらしい。さらに、フグには肋骨《ろっこつ》がないから、胸の部分の皮膚が大きく伸び、そこの棘《とげ》が立って敵を突き刺すことができる。浜で膨らんだフグについ手を出してケガをするのはこの棘のためだ。フグは、とりあえず膨らむことによって外敵から逃れている穏和な魚なのである（『フグはなぜ毒をもつのか』）。

フグを河豚と書くのは、『栞草』に、

豚は猪の小き者、其性よくいかる。故に憤豚《ふんとん》の称あり。魚中、ふぐまたよくいかる。故に河豚《かとん》の称ありとあるように、豚のようによく怒るためだ。フグは別に怒っているわけでなく、自らの身を守っているだけなのだが。

と同時に、フグは膨らんだとき、皮膚からテトロドトキシンを放出して、敵が襲いかかろうとする気持ちを沮喪《そそう》させてもいる。人間がフグを撫でるだけでも毒を放出するそうだから、「筑波の四六のガマ」と同じで、危機感を持ったときには毒が染み出てくるのだ。また、内臓にフグ毒が蓄積されているのも、一度フグを食った外敵が、その毒のため二度と襲わなくなるよう学習させるためだろう。『栞草』には、

河豚魚、小也といへども、をそ（筆者注――かわうそ）及び大魚敢えてくらはず。惟《ただ》、人に毒するのみにあらず、又よく物を毒す

と書かれている。テトロドトキシンで敵を殺さないまでも、襲う気持ちを萎えさせる恐怖効果を利用しているのだ。生殖巣に毒が多いのは、卵を外敵から守るためと考えられる。一般に、攻撃的でなく、外敵に捕食されやすい生き物が毒を持つ理由と共通する生き残り戦略なのである。

フグ毒のフグ自身への別の効用もあるらしい。生け簀で養殖されたフグは無毒になるが、そのうちストレスが溜まってくるらしく、噛み合って全滅してしまうことがあるそうだ。

そのため、養殖家は、ある時期にフグの歯を折って傷つけ合わないようにする。四つの歯を持つはずのフグ（テトラオドン）の歯をなくしてしまうのだ。ところが、毒を持つフグにはそんなケンカ（?）は起こらない。とすると、テトロドトキシンにはフグのストレスを解消する働きがあるのかもしれない。

このようにフグ毒の由来をみると、何だかフグが可愛く思えてくる。膨れて身を守るだけで攻撃的ではなく、不運にも大魚に襲われ食われても、二度と仲間を襲う気にさせないよう毒を盛っているからだ。フグは、毒を持ってこそ「ホンモノのフグ」と言えそうだ。

河豚料理

私自身、めったに河豚料理にお目にかからないから、せめて紙上でそのエッセンスを楽しむことにしよう。

河豚の旬は冬である。産卵期が三月から五月であり、産卵が終わって体力が回復する一〇月以降に肉付きが良くなるからだ。私がこれまで河豚料理のフルコースを味わったのは一度だけで、白子（精巣）の塩焼き、てっちり（河豚鍋）、刺身、骨の空揚げ、河豚雑炊、というコースであった。正直に言うと、てっちりは骨ばっかりで身が少なかったという印象が強かったのだが、きっと安いコースを選んだためだろう。感激したのは、白子の塩焼きと刺身であった。

河豚の白子には「西施乳」という別名があるそうで（河豚そのものの異称でもある）、中国の春秋時代の美女である西施《せいし》の乳に喩えたものらしい。なんともエロティックな呼び名だが、実際、塩焼きした白子の粘りあるトロリとした味は、何とも言えぬ旨さであった。

刺身にびっくりしたのは、向こうが透けて見えるくらい薄く切られていることだ。カンナで削ったのかと疑ってしまうくらいで、よくぞここまで薄く切ったものだと板前さんの腕に感心した。どうやら皿の絵柄が見えるように盛りつけるのが粋、というものらしい。確かに、

花びらの　ごとく河豚盛る　伊万里皿（首藤勝二）

であれば、豪華この上ないことである（私が行った店の皿は伊万里焼ではなかったようだが）。といっても、盛りつけの見栄えを良くするためだけに薄く切っているのではなく、河豚の身は弾力があって、厚いと噛みきれないためである。実際、薄い刺身であっても何度も噛まねばならず、そのうちに甘みが口の中に広がってきた。河豚の身の甘みは、遊離アミノ酸であるグリシンとリジンのためらしい。てっちりの汁で作る雑炊が旨いのは、これらの成分がご飯に染み込んでいるためだ（『魚料理のサイエンス』）。私もつい食べすぎて、河豚のようにすっかり膨れ上がったお腹を抱えて店を出た。確かに、河豚料理を楽しんだあとは、すっかり満腹になって、

鰒食ふて　前後を知らす　寝入りけり（竹田竹冷）

と、上機嫌で熟睡することができた。以来、残念ながら河豚料理のフルコースを堪能したことがない。別に命が惜しいから河豚に手を出さないのではなく、サイフが承知してくれないだけのことなのだが。

清少納言と紫式部の葛藤

最後に、清少納言と紫式部の葛藤の裏には河豚中毒があったかもしれないという萩谷朴《はぎたにぼく》氏の「仮説」を紹介しておきたい（『風物ことば十二カ月』）。

よく知られているように、『紫式部日記』に清少納言の悪口が書かれている。まず、

清少納言こそ、したり顔にいみじうはべりける人。さばかりさかしだち、真名書きちらしてはべるほども、よく見れば、まだいとたらぬこと多かり

と書き起こし、最後には、

おのづから、さるまじくあだなるさまにもなるにはべるべし。そのあだになりぬる人の果て、いかでかはよくはべらむ

と、どんな死に方をするか、よく知らないからね、との呪いじみた言葉まで吐いている。なぜ、温厚な紫式部が、こうまで激しい言葉で清少納言を批判したのだろうか。よほど、悔しいことがあったのだろう。

その理由は、清少納言の『枕草子』第一一九段「あはれなるもの」にあるようだ。彼女は、

あはれなるもの。孝ある人の子。よき男のわかきが御嶽《みたけ》精進《さうじ》したる

と書き始めて、

なほ、いみじき人と聞ゆれど、こよなくやつれてのみこそ詣づと知りたれ

と、「どんなに高貴の人間でも徹底的に質素な服装でお参りするものだと誰でも知っている」

と書いてきて、ここでかつての藤原宣孝《のぶたか》のパフォーマンスを思い出した。藤原宣孝とは、後に紫式部の夫になる人物である。

その頃（永祚二年、九九〇年）、宣孝は四一歳で、花山天皇の退位に伴って蔵人の地位を退いており、何らかの官職を得たいと焦っていた。そこで、就職祈願のために、吉野山金峰山《ぎんぶせん》の金剛蔵王《ざおう》権現《ごんげん》に一族郎党を引き連れてお参りをすることにした。通常、このような参詣には、山伏姿の篠懸《すずかけ》とか、法師姿の白衣のような、質素な浄衣姿で出かけるものである。しかし、宣孝は

むらさきのいと濃き指貫、しろき襖《あを》、山吹のいみじうおどろおどろしきなど着て、隆光が主殿《とのもり》の助には、青色の襖《あを》、くれなゐの衣、すりもどろかしたる水干といふ袴を着せて

参詣した。つまり、派手な衣裳で道行く人々を驚かしたというのである。宣孝は宮廷にアピールしようと思い切ったパフォーマンスを行ったのだ。わざわざ「あはれなるもの（しみじみと感動させられるもの）」の段で、清少納言が宣孝のパフォーマンスを右のように書いたのは、むろん宣孝の非常識を非難するためで、

帰る人も、いま詣づるも、めづらしうあやしきことに、「すべて昔よりこの山に、かかる姿の人見えざりつ」と、あさましがりしを

と、参詣する人々も呆れていたと辛辣に書いている。むろん、宣孝の企みを際立たせるためである。

藤原宣孝がパフォーマンスを行って二カ月も経たない正暦元年（年号のみが改まった同じ九九〇年）六月、筑前守・藤原知章《ともあき》が任地の筑前に赴任して間もなく、知章を除いて息子や郎党の三十数人が突然病死するという事件が起きた。この責任をとって知章は筑前守を辞任せざるを得なくなった。摂政・藤原道隆《みちたか》は、このような大事件を収拾するには、常識外れの人物でなければならないと考えたらしい。御嶽参りのパフォーマンスで有名になった藤原宣孝を筑前守に抜擢したのだ。宣孝は、まんまと猟官運動に成功したのである。清少納言は、

　六月十日のほどに、筑前守の死せしに、なりたりしこそ、「げに、いひけるにたがはずも」と、きこえしか

と、宣孝の所行の狙いをここで暴露している。そしてすぐに、主題からずれてしまったことに気付いたかのように、

　これは、あはれなることにはあらねど、御嶽のついでなり

と付け加え、知らん顔して「あはれなるもの」づくしを書き続けているのだ。実にしたたかな書きっぷり、と言えよう。

紫式部が、この宣伝上手な藤原宣孝と結婚したのは長徳四年（九九八年）であった。たった三年で死に別れたとはいえ、一女賢子までもうけた夫の宣孝をこのように悪し様に書かれたものだから、紫式部は『日記』に清少納言への恨み言を書き連ねざるを得なかったのだろう。

もうおわかりと思うが、藤原知章の息子や郎党三〇人以上が急死したのは、河豚中毒が原因であったのではないか、というのが萩谷氏の推理である。まだ春先の河豚毒の恐さが知られていなかった平安時代、鮮魚に乏しい京都から海の幸が豊かな筑前に赴任してきたのだ。名高い河豚を食べようと、京都から連れてきた、毒抜きの方法も知らない料理人に河豚の調理を命じたのだろう。京の公達たちも土地の人が止めるのも聞かず、喜び勇んで箸を付けた挙げ句の集団中毒、との推理は自然である。江戸時代の蕪村すら、

海のなき　京おそろしや　鰒汁《ふくと》

という句を残しているくらいなのだから。歴史には、思いがけないエピソードが詰まっているものだとしみじみ思う。

陸の生き物

第10章　「ほたる」——蛍火の鞠の如しや

蛍の光

今はもうすっかり様変わりしてしまったが、私の若い頃は卒業式になると決まって歌われたのが「蛍の光」であった。晋の車胤《しゃいん》は、貧しくて灯をともす油が買えないので、蛍を集めて袋に入れ、その光で書を読んだ、という故事によったものだ。『晋書』には、「夏月則練嚢盛数十蛍火以照書」と書かれている。孫康《そんこう》が窓辺の雪明かりで勉強した「窓の雪」の故事とセットで、苦労して学問にいそしむことを「蛍雪」と言うようになった。王安石《おうあんせき》は『勧学文』の中で「螢窓雪案」と表現している。とはいえ、文部省唱歌の「蛍の光」は、スコットランド民謡でバーンズ作詩の「楽しかった昔」が原曲で、別れの歌ではあるのだが、刻苦勉励の歌ではなかった。明治一四年（一八八一年）に小学唱歌を制定した当時の勧学奨励の雰囲気を反映しているようだ。

実際に、蛍の光で本が読めるほどの明るさになるのだろうか。車胤の故郷は現在の福建省で、日本のゲンジボタルより大きく光も強いタイワンマドボタルが多くいて、二〇匹も集めると何とか字が読めるらしいから、まんざら中国式の大げさ話ではなさそうである。もっとも、蛍はすぐに死んでしまうから、車胤は毎日蛍狩りに時間を使っただろう、その間に勉強すればよいのに、とは生意気な小学生の頃の私の屁理屈だった。

ホタルの発光器は腹部後端の腹面側にある。この部分の皮膚は色が着いておらず、ガラスの窓のようになっており、その内側に発光細胞と反射細胞でできた発光組織がある。発光細胞では、発光物質であるルシフェリンがＡＴＰ（アデノシン三リン酸）の分解によるエネルギー供給を受け、ルシフェラーゼという酵素によって酸化反応を起こして酸化ルシフェリンに変わる際に発光する。通常の酸化反応では光とともに熱も多く出るのだが、ホタルの場合は、エネルギーの九八パーセントが光で放出されるので、熱くない発光体となっている。人工のあらゆる光よりはるかに効率的にエネルギーを光に変えており、もしホタルの光を人工的に作り出せれば理想的な照明器具になると期待されている（『虫のはなし』2）。

というわけで、ホタルの発光メカニズムの研究が競って行われるようになった。まず、一九六〇年代に、アメリカの化学者が発光物質であるルシフェリンを単離し、その化学構造を決定した。やがて、酵素タンパク質であるルシフェラーゼも結晶として得られ、約一〇〇〇個のアミノ酸から成り立っていることがわかった。問題は、どのようなアミノ酸が、どのような順に並んでいるかで、それを知るためにはルシフェラーゼ酵素を作る遺伝子の暗号を解読しなければならない。最近になってようやく遺伝子解読に成功し、大腸菌にルシフェラーゼを大量生産させることができるようになったそうだ。おまけに、アミノ酸の一部を他のアミノ酸に置き換えて、黄色や橙色の蛍光を発光する人工酵素まで開発されている。とはいえ、連続的に長時間発光させるためには、エネルギー源であるATPを供給し続け、使用済みの酸化ルシフェリンを常に取り除いて新しいルシフェリンを供給し続けねばならず、これらにはまだ成功していない。現在のところ、初めに用意したATPでボーッと光らせる程度である（『昆虫に学ぶ』）。

日本には、ゲンジボタル、ヘイケボタル、ヒメボタルなど、四六種ものホタルがいる。大型のホタルをゲンジボタル、小型のホタルをヘイケボタルと呼んだのは、源平合戦からの連想だろうが、江戸時代にはそのような呼び名はなく、明治時代になってから名づけられたらしい。一般に、ゲンジボタルは強い光を長く放ち、発光間隔が長いのに対し、ヘイケボタルの光はやや弱くて継続時間が短く、発光間隔も短い。とはいえ、同じゲンジボタルでも、東日本のものは四秒に一回くらいでゆっくり光るのに対し、西日本のものは二秒に一回と忙しく光る。また、西日本型は、夜の八時頃、一二時頃、明け方の三時頃、と三回の飛翔のピークがあるが、東日本型は深夜にはあまり活動しないという。西日本型は勤勉（セカセカ）、東日本型は悠然（ユッタリ）と言えそうだが、東日本と西日本ではホタルの系統が違うらしい。発光の時間間隔が〇・五秒と最も短く、光も弱いのがヒメボタルで、発光間隔と明るさから、おおむねどのホタルが光っているのか見当がつくそうだ（『ホタルとサケ』）。

恋のフラッシュ

では、何のためにホタルは光っているのだろうか。夜に活動するのだから鳥に狙われる危険性はないとはいえ、夜行性の動物もいるのだから、わざわざ光って身の在処を示すのはやはり危険この上ないことである。しかし、生物の厳しい進化ゲームを生き抜いてきたのだから、光ることが生き残り戦略として有利であったに違いない。生物の最終的な目標は生き残って子孫に血筋をつなぐことにつきるから、ホタルの光も交尾のためと考えてよいだろう。

観察によれば、飛び回っているのは雄のホタルで、雌はめったに飛ばず、草間の陰に潜んで発光を繰り返している。雄は雌を見つけると、一五センチくらい離れた葉にとまり、不規則にパーッと強く点滅する光を出しながら、少しずつ歩いて雌に近づいていく。まず、求愛の合図を送るのだ。一〇センチくらいまで雌に近づくと、そこで雄はぴたっと止まり、一五秒くらいの間に五回程度フラッシュをたくように発光する。そして、一〇秒ほど休んではまたフラッシュ発光を繰り返す。雄はプロポーズの信号を必死に送るのだ。雌の方は自分の発光を止めて、プロポーズする雄を観察しており、気に入るとＯＫの発光を送る。これを見るや、雄はフラッシュを止めてまっしぐらに雌に向かっていって交尾する。ＯＫの合図がないと、雄は雌に近づくことなく空しく発光を繰り返し続けるという。まさに、「恋に身を焦がす」姿である。野生ホタルの寿命は、雄で三日、雌で六日程度だから、その限られた時間内に交尾しなければ子孫が残せない。さらに、雄と雌の数の比は三対一で、ノロノロしていては雄はあぶれてしまう。だから、必死に配偶者を探して飛び回っているのだが、それにしてはホタルの求愛は実に紳士的である。ストーカー事件が頻発する人間世界の何と品のないことか。

アメリカやインドネシアで、ホタルの大群が一斉に明滅を繰り返す現象が知られている。初め、ホタルは一匹ずつ独自のリズムで勝手勝手に発光しているのだが、他のホタルの発光を見ているうちにやがて同期するようになるためだ。その現象が引き込み（同調）作用として研究されている。何千匹というホタルが揃って光を放つ様を是非見たいものである。

ホタルは、その種類ごとに決まった求愛の光信号を持っていて、それによって配偶者を見つけていることはほぼ確かなようだ。実際、ネオン管でゲンジボタルの雄のフラッシュ発光を真似た疑似信号を送ると、一メートル以内の雌がOKの合図を送ってくるという。逆に、雌の発光パターンを真似た光を送ると、雄が交尾しようとネオン管に飛び込んで来るという実験結果もある。真っ暗な夜なら一〇メートル先からも飛んでくる。雄のホタルは悠然と飛んでいるように見えて、鵜の目鷹の目で雌を探しているのだ。

その性質を逆手にとった高等戦術を採用する雌もいる。アメリカ大陸に生息する大型のホタルであるベルシカラーホタルである。そばを通りかかった異なった種類の雄を見ると、その発光パターンからどのような種類のホタルかを識別し、その種類の雌の光信号を真似て合図を送るのだ。雄は、ニセの信号とは知らずに、まっしぐらに雌に向かって飛んでいく。ところが、近づくと、求めている自分の仲間の雌ではなく、巨大なベルシカラーホタルが待ち構えていることに気付くが、もはや手遅れ。おびき寄せられた雄は、雌のベルシカラーホタルの餌食となってしまうのだ。よくよく見定めないと、火遊びの恋は危険であることを物語っているかのようである。

ホタルの光には、このような生殖行動だけでなく、別の役割もあると考えられている。生殖行動とは関係がない卵や幼虫の時代にも発光するからだ。ゲンジボタルの幼虫は川の中で生活するのだが、その間、魚やヤゴのような肉食性の動物に捕食されないでいる。その理由は、「まずい」ためらしい。魚に幼虫を食べさせてもすぐに吐き出してしまうのだ。幼虫がわざわざ目立つよう光るのは、魚やヤゴにまずいことを思い出させていると解釈できる。成虫になっても同じ作戦を採用していて、ある種のホタルには強い毒性物質があることを印象づけ、光ることによって捕食者に近づきにくくさせているらしい。

また、雌が産卵に向かうとき、他の産卵中の雌の光信号を見つけると、一目散にそこへ近づいていくことも知られている。ホタルが好む産卵場所は、川面に突き出た岩や樹木の幹の下側で、少し陽当たりが悪く、時折水しぶきが当たるような場所である。目立たず、卵が乾燥せず、孵化した幼虫が真っ直ぐに水に落ちることができる場所が最適なのだ。そんな産卵に適した場所は少ないから、能率的に探し出すためには、先に産卵を始めている雌の光を頼りにする、というわけだ。ホタルは一生の間光り続けるから、卵・幼虫・蛹《さなぎ》・成虫、それぞれの時代に発光の効用があるのだろう（『ホタルとサケ』）。

螢火

陰暦の五月二六日は、宇治川の戦いに敗れて自殺した源三位《げんさんみ》入道《にゅうどう》頼政の命日で、毎年この日には蛍となった怨霊の大群が集まって弔い合戦をすると言い伝えられてきた。むろん、蛍が配偶者を求めて飛び交っているだけのことだが、蛍の放つ青白い光を、戦いで亡くなった武士たちの魂に見立てての伝説である。蛍が手鞠くらいの大きさにかたまり、空中高く舞い上がっては砕け、宇治川に飛び込むかのように急降下する様子が、蛍の合戦のように見えたのだろう。それほどまでに宇治川には蛍が多く飛び交っていたのだ。和泉式部に、

ものおもへば　沢のほたるも　わが身より　あくがれいづる　たまかとぞ見る

という有名な歌がある。男に捨てられて、蛍に仮託した魂が身から離れていくほど苦悩する心情を詠っている。青白い光の玉がゆらゆらと動くのは、確かに魂を連想させる姿である（『古今歌ことば辞典』）。

蛍の語源は「火垂る」あるいは「火照る」のようだが、古語辞典には「朝鮮語の Pontari（蛍）と同源」と書かれている。古代では、夜に光る気味の悪い神の形容に使われたらしく、『日本書紀』巻二の「神代下」では、

彼の地に、多《さは》に螢火の光《かかや》く神、及び蝿聲《さばへな》す邪《あ》しき神有り

と書かれている。葦原中国には気味の悪い神（蛍火の光く神）や大した力もないが騒がしくて従わない神（蝿聲す邪しき神）がいるぞ、と高天原《たかまがはら》で神々が話し合っている場面である。そんな場所へ誰を天下りさせようか、と談合しているのだ。現代の高級官僚の天下りにも、同様な談合があるのだろうか。

やがて、蛍火がちらっとはかなく輝くことから、「はかなさ」や「ほのかさ」の象徴となった。『万葉集』では「ほのかに」の枕詞になっており、

……玉梓《たまづさ》の　使の言へば　螢なす　ほのかに聞きて　大地《おほつち》を　ほのほと踏みて……（巻一三・三三四四）

という、防人の妻の哀切な歌がある。任を終えて帰ってくるはずの夫が、帰途に死んでしまっ

たのだ。使いの者が蛍火のようにちらっとしか消息を聞かせてくれなかったと、炎を踏んづけるように地団駄を踏んで悲しんでいる姿である。

平安時代になると、夏の夜の風物詩として人々の愛でる虫ともなった。清少納言は、『枕草子』第一段で、

夏は夜。月のころは、さらなり。闇もなほ。蛍のおほく飛びちがひたる。また、ただ一つ二つなど、ほのかにうち光りて行くも、をかし

と、光と闇のコントラストを楽しんでいる。蛍火が危うげで弱いからこそ、いっそう闇の深さが感じられるのだ。虚子は、

蛍火の　今宵の闇の　美しき

と詠んでおり、真夏の夜の闇の深さをほのかな蛍火で感じ取るのは、今も昔も変わらない。

恋に明け暮れた平安貴族は、蛍の光を本を読むためではなく、暗闇の中で女性の顔を浮かび上がらせるために使ったようだ。『伊勢物語』の第三九段では、天下の色好み（風流人）である源至の蛍を使ったパフォーマンスを伝えている。淳和天皇の皇女崇子がわずか一八歳で亡くなっ

たとき、その御殿の隣に住む男が見送りに女車に同乗して出かけようとした。それを見た源至は、てっきり女性が乗っていると思い込んで、

寄りきて、とかくなまめくあひだに、かの至、螢をとりて女の車に入れたりけるを、車なりける人、「この螢のともす人にや見ゆらむ、ともし消ちなむずる」とて

と、蛍火によって御簾越しに女性の顔を浮かび上がらせようとしたのだ。『宇津保物語』でも同じように蛍火によって女性の顔を照らし出す場面があるらしい（『風物ことば十二カ月』）。『源氏物語』では「蛍」の巻があり、その名も蛍宮（兵部卿宮、光源氏の弟）が登場する。蛍宮が源氏の養女の玉鬘《たまかずら》を訪れたとき、源氏は玉鬘の世話をやくふりをして、

蛍を薄きかたに、この夕つかたいと多くつつみおきて、光をつつみ隠したまへりけるを、さりげなく、とかくひきつくろふやうにて。にはかに、かく掲焉《けちえん》に光れるに

と、部屋に蛍を放ち、ほのかな光で玉鬘の顔が浮かび上がるよう粋な仕掛けをするのだ。慌てて女房たちが蛍を隠したが、宮はほのかな蛍の光を恋のやりとりのきっかけにしようと、

鳴く声も　聞こえぬ虫の　思ひだに　人の消つには　消ゆるものかは

という歌を贈った。鳴く声が聞こえない虫とはむろん蛍のことである。たとえ女房たちが蛍を消して（隠して）も、私の胸の思いは消せない、と思いのたけを打ち明けたのだ。玉鬘は、すぐに、

声はせで　身をのみこがす　蛍こそ　言ふよりまさる　思ひなるらめ

という歌を返して軽くあしらった。あなたのように口に出しては言わないが、ただ身を焦がすばかりに思っている蛍の方が、いっそう切ない思いを抱いていることでしょう、というわけだ。

これらの歌には、『重之集』にある、

音もせで　思ひに燃ゆる　螢こそ　鳴く虫よりも　あはれなりけれ

が下敷きにあるそうだ。いずれも、「思ひ」の「ひ」は「火」に掛けている。蛍を使った言葉遊びとして実に高級である（『源氏物語』4）。

江戸時代に入ると、蛍狩りが盛んになったようだ。芭蕉は、木曽路を旅して大津に着き、瀬田の蛍見物に行った。川舟に乗って蛍狩りに出かけたのだろう、

ほたる見や　船頭酔て　おぼつかな

がある。さて、船頭は何に酔ったのだろう。また、そのとき、

此ほたる　田ごとの月に　くらべみん

と、信州で見た田毎の月に比べてみたいくらい素晴らしいと絶賛している。さらに、

めに残る　よしのをせたの　螢哉

という句も残している。吉野の桜の豪華絢爛な光景と蛍が乱舞する様を二重写しにしており、よほど見事であったに違いない。吉野の桜について、一つも句ができなかった芭蕉の悔しい思いが残っているようにも感じる。

一茶は、次々と飛んでくる蛍を見ながら、

ほたるよぶ　よこ顔過《よぎ》る　ほたる哉

と、蛍狩りの光景を詠んでいる。蛍の中には光の大きいものも混じっており、いかにも重そうでゆっくり飛んでいるように見えたのか、

大蛍　ゆらりゆらりと　通りけり

と楽しげだ。川舟での蛍見物では、

飯櫃《めしびつ》の　螢追ひ出す　夜舟哉

と、思わぬところに迷い込んだ蛍を発見したりする。

京都に住んだ蕪村だが、宇治川や瀬田の蛍を一つも詠んでいないのはなぜだろう。ただ、摂津の歌枕である細江で見た寂しげな蛍を、

さし汐に　雨のほそ江の　ほたるかな

と詠んでいるに過ぎない。蛍狩りを好まなかったのかもしれない。むしろ、彼の得意の連想の

妙を発揮した句がおもしろい。例えば、

狩衣の　袖のうら這ふ　ほたる哉

は、先の『源氏物語』の場面を想定している。光源氏が放った蛍は、きっと兵部卿宮の狩衣の袖にもとまったことだろう、と想像したのだ。遠い過去のことや、物語の場面を、いかにも目の前で展開しているかのように描く蕪村の面目躍如である。また、

学問は　尻からぬける　ほたる哉

は、「一書生の閑窓に書す」という前書きがあるように、車胤の故事にちなんだ句で、蛍の光で勉強しても物忘れするものだ、とちょっとからかっている。あるいは、「書窓惰眠」で「居眠りしていてはねえ」と言いたいのかもしれない。

ホタルの生態学

ところで、蛍狩りは今や死語となりつつある。蛍が群れ飛ぶことがなくなってしまったからだ。私の幼い頃は、夕涼みに出るとまだ蛍が飛び交っていたし、「あっちの水は苦いぞ、こっちの水は甘いぞ」と声を掛けながら蛍狩りに出かけたものだ。しかし、メダカと同じように、今や絶滅の危機にある。むろん、既に江戸時代から、人が増えて都市化が進むにつれ蛍が減っていくことは気付かれていた。例えば、『江戸名所記』に、浅草では一七世紀末には船着き場近くに蛍が飛んでいたが、一八世紀末には家々が建ち並んで蛍は姿を消してしまった、と記されている。以後、明治・大正・昭和と時代が進むにしたがって、蛍の名所は、東京の中心部から山手線の外側へ、そして多摩川べりから武蔵野へというふうに、都心から郊外へと移っていった。ついに、一九六〇年代終わりには、蛍は東京からまったく姿を消してしまった。まさに、蛍の「後退前線」が都心部から郊外を越えて山間部へと移動していったのだ。

ホタルが生き永らえるためには、幼虫が暮らす川底環境、蛹が過ごす土中環境、成虫が暮らす川辺の環境、それらすべてが良い状態で揃っていなければならない。その一つでも環境悪化が進むと、ライフサイクルが断ち切られ生息できなくなるのだ。今や、水田がなくなり、用水路がコンクリートで囲われ、冬には溝に水が流れなくなり、水たまりも減ってしまい、川べりはコンクリートで舗装され、農薬が大量に撒かれ、とホタルにとっては生きづらい環境になってしまった。さらに、夜が明るくなったことも災いした。光で合図を送り合うホタルにとって、明るい街灯だと恋が語れず、迷惑至極なのだ。

最近、ホタルを呼び戻そうという試みがあちこちで行われている。遅すぎたとはいえ、ホタルが帰ってくるのは、自然環境が少しでも健康を取り戻した証だから、歓迎すべきことである。しかし、ホタルに適した生態をよく知った上でなければ、すんなりとホタルは戻ってくれない。以下で、簡単にホタルの生態をまとめておこう（『ホタルとサケ』）。

「腐草為蛍（くされたるくさほたるとなる）」という言葉があるように、かつては腐った草からホタルが湧いてくると考えられていた。むろん、そんなことはありえないが、ある真実を言い当てている。以下に述べるように、ゲンジボタルやヘイケボタルの成虫は、腐葉土が積み重なった隙間の多い土のあるところから姿を現すからだ。腐った葉が多い場所だから、川の流れはあまりきれいではない。つまり、ホタルは清流を好むのではなく、少し汚れていて栄養が豊富な水辺が好きなのである。また、ホタルの幼虫は川底で育つが、そのときの食料は巻き貝で、巻き貝が生息できるような川、つまりほどほどに汚れた川でなければならない。だから、清流にしたからといってホタルは戻ってきてくれない。流れが緩やかで、底には砂や泥があり、野菜クズや藻や死んだ魚など巻き貝の餌がある川がホタルにとって都合が良いのだ。

日本にいるホタルの成虫は水以外のものは口にせず、幼虫時代に蓄えた栄養だけで生きている。

だから、蓄えた栄養がなくなると死を迎える。野外では、蜘蛛の巣に引っかかったり、風雨で地面に叩き落とされたりするので、三〜六日しか生きられない。盛りが短いことの喩えに、

蛍二十日に蝉三日

がある。家で飼っていると二〇日も生きることができるらしい。もっとも、栄養が尽きてくると、子規の、

次の夜は　蛍痩せたり　篭の中

のように、私たちの目でもホタルが痩せ光が弱っていくのがわかる。

川べりに生みつけられたホタルの卵は、一カ月足らずで孵化して幼虫となり、水の中に落ちる。そして、八カ月ほど水底の巻き貝を食べて育つ。蛹になるまでに、一カ月に二〜三個、全部で二〇個以上の巻き貝を食べるようで、それがホタルの一生分の栄養源になる。これほど多くの巻き貝が生きていなければならないから、流れが遅く砂や泥が底に溜まった川でないとダメなのだ。

春先の雨の夜、幼虫はいっせいに上陸を開始する。このとき、幼虫たちはボーッと光り、ブルーの宝石を散りばめた絨毯のように見え、とても美しいそうだ。上陸後、幼虫は隙間の多い土

の中に潜り込み、粘液を出して土繭を作る作業に二カ月も従事する。水中の生活をしていた幼虫時代の体から、地上で飛ぶ生活に適した体に変身するため、しっかり密閉した土繭が必要なのだ。従って、川のそばには、湿気があって柔らかく、枯れ草が積み重なった腐葉土がなければ、ホタルは幼虫から成虫への華麗な変身ができない。土繭の中へすっぽりと入った幼虫は蛹となって二週間くらいで成虫になり、六月頃から飛び立っていく。つまり、腐った葉の下からデビューする、というわけである。

　成虫になったホタルの雄は、三日くらいの間に配偶者を見つけないと子孫が残せないから、忙しく発光しながら舞い続ける。雌の方は、六日くらいの間に交尾をして、最適な産卵場所を見つけねばならない。深夜遅く活動するのは、ほとんど雌で、産卵にいそしんでいるのだ。成虫にとっては、休息したり交尾したりする草や木の葉があり、飛び交う空間があり、そして光交信ができる暗闇がなければならない。

　というふうにホタルの生態を考えると、どのような環境が良いのかがわかるだろう。とはいえ、きれいに光るホタルだけを依怙贔屓《えこひいき》して復活させようとするのは、何だか他の生き物にとって気の毒な気がしないでもない。ホタルが舞わなくなったということは、他の虫や生き物も姿を消したことを意味するのだから。さまざまな生き物が多様に生きられる環境を回復することが大事なのである。そうなれば、虚子が、

蛍火の　鞠の如しや　はね上り

と詠んでいるような光景を再び楽しめるだろう。また、漱石のように、

かたまるや　散るや蛍の　川の上

と夢中になって蛍の舞を見ているうちに、

蛍狩　われを小川に　落しけり

というような思い出もできるかもしれない。

第11章　「たけ」——夕日美し竹の春

筍の刺身

わが家は京都の西山に近く、自転車で郊外に出ると竹林が続いている。かつてエジソンが電球のフィラメントに使った竹は現在の八幡市の竹林のもので、わが家からも近い。昔から、地元の人々が竹林を丁寧に管理栽培してきたので、三月にもなれば旨い筍《たけのこ》を楽しめる。近くにある筍料理専門の料亭では、「筍の刺身」が名物になっている。皮を剥いだら一〇センチもない小さい筍は、柔らかく、苦味もないので、そのまま刺身として食べられるのだ。冷凍保存しているので一年中食べられるという。好物の人は三皿も食べるそうだが、私には一皿（筍一本分）が三〇〇〇円もする刺身には手が出ないので、もっぱら歯ごたえのある筍とワカメの若竹煮を楽しんでいる。とはいえ、歯が弱くなった今では、子規のように、

歯が抜けて　筍堅く　烏賊こはし

となりつつあるのだが……。
日本では、既に縄文時代から竹で笊《ざる》や籠《かご》を作っていたことが知られており、おそらく筍も食品として食べていたと考えられている。『古事記』には、「たかむな（笋）」と書かれており、イザナギが黄泉《よみ》の国から逃れる際、右の櫛を抜いて投げ捨てたところ、そこから「たかむな」が生え、追いかけてきた黄泉醜女《よもつしこめ》が抜き取って食べた、とある。醜女がイザナギを追いかけるのを忘れる程、筍が旨いことがよく知られていたのだろう。狂言の「竹の子争い」も、筍の旨さがあってこその庶民の諍《いさか》いのエピソードである。

筍の旨みの素は、チロシンという芳香族アミノ酸にある。チロシンは、体内に入ると、アドレナリンのようなホルモンになったり、メラニンのような色素になったりするから、栄養的にも大事な物質である。筍を水に浸けておくと白いカビのようになって浮き出してくるのがチロシンで、苦味を抜こうとしてあまり水に浸けすぎないよう用心しなければならない。筍が生長するにつれ、チロシンは空気に触れて有機高分子であるリグニンに変わっていく。リグニンは、細胞壁に溜まって固くなり木質化していくから、強い竹になる。したがって、適度に歯ごたえがあって旨い筍は、チロシンはまだ残っているけれど、一部がリグニンに変わっている、という実に微妙な状態にある場合と言えそうだ。今や、真空パックで空気に触れないようにして保存できるようになったので、味の良い筍が季節を問わずに食べられるわけである。

タケとササ

『広辞苑』によれば、タケは「イネ科タケ亜科の多年生常緑木本《もくほん》の総称。タケ群とササ群に大別、独立のタケ科とする場合もある」と説明されている。このタケの定義を読むと首を傾げてしまう。なぜ、タケがイネ科に入るのか、と。

イネは、一年生の草本であり、折れやすい茎で枝は分岐せず、細長い葉には葉柄がなく、落葉もしない。ところが、タケは、多年生の木本であり、茎の細胞は木化して節があり、枝は分岐し、長径に比べて幅が広い葉には葉柄があり、春には落葉する。ちっとも似ていないのだ。どうやら、タケが「稲穂状の黄緑花をつける」(『広辞苑』)のでイネ科に分類されているらしいが、タケが花を咲かせるなんて滅多にないから、はなはだ納得し難い分類である。

もう一つ「タケ群とササ群に大別」とあるが、なんとなくタケとササは似ているようでいて似ていないところもある。どちらも、地上から首を出した茎(稈《かん》)には節と中空の胴があり、それを包む皮(稈鞘)があることはよく似ている。しかし、タケの皮はやがて落ちてしまうが、ササはずっと皮に包まれたままである。また、タケの稈は真っ直ぐに長く伸びて枝は細いまま分岐するが、ササの稈は高く伸びず枝は太くなって何本にも分岐する。この程度の違いなら区別がつかないこともあって、カンザンチクという名のタケは実はササであり、オカメザサという名のササはタケの仲間らしい（『根も葉もある植物談義』）。

タケ群とササ群を含めると世界中で六〇〇種あって、日本だけでも一五〇種もあるそうだが、私たちがふだん目にするのは、日本に最も広がっているタケは「モウソウチク」である。タケの種類によって筍の味も千差万別らしい。九州地方の言い伝えでは、筍の味の順序は「デミョウコサンカラモソ」ということになっている。「デミョウ」とは「ダイミョウチク」（カンザンチクの地方名）、「コサン」は「五三竹」（ホテイチクの南九州での呼び名）、「カラ」とは「カラダケ」（ハチクの宮崎地方の呼び名）、そして「モソ」が「モウソウチク」のことである。実を言えば、上位の三つは主に九州でのみ生育している種類だから、九州以外の人には味比べをすることができず、この言い伝えは単なるお国自慢なのだろう。秋田県より北ではモウソウチクは育たず、ネマガリダケの筍が最も旨いそうだ。また、ラーメンにはメンマが使われるが、これは中国や台湾から輸入されたマチクで柔らかくて結構旨い。結局、筍の味は、当たり前のことだが、それぞれの料理の腕次第なのである（『「竹」への招待』）。

依代としての竹

古代から、竹は、神霊が招き寄せられて乗り移る物、つまり「依代《よりしろ》」と考えられてきた。正月の門松や小正月のどんど焼きには竹が欠かせないし、わが家の新築の地鎮祭のときには土地の四隅に竹を立てた。七夕では竹に短冊を吊して神に祈ったし、恵比須祭《えびすまつり》（関西では「えべっさん」と心安く呼ぶ）には福笹が付きものである。また、神楽・能・歌舞伎などでも、手に笹を持って踊ることが多い。『古事記』には、天の岩屋に隠れたアマテラスを呼び戻すために、アメノウズメは笹を手に束ねて舞ったとある。

『万葉集』には、「さす竹の」という常套語がある。中臣朝臣宅守《やかもり》の、

さす竹の　大宮人は　今もかも　人なぶりのみ　好みたるらむ（巻一五・三七五八）

がその例で、この歌では「さす竹」が聖地である大宮を称える枕詞になっている。「さす竹の皇子の宮人」（巻二・一六七）とか、「さす竹の舎人壮士《とねりをとこ》も」（巻一六・三七九一）などもあり、「さす竹」は「刺す竹」、つまり勢いよく茂る竹を意味しているらしい。岩波『古語辞典』によれば、「サスは『水枝さす』のサス、生えて伸びる意。竹は勢いよく生長するので領主・宮廷などの長寿繁栄をねがうほめことばとして使われた」とある。

他に、「なゆ竹のとをよる皇子さ丹つらふわが大王は」（巻三・四二〇）のようにも使われ、「なゆ竹」は「なよ竹」で女竹のこと、細くてしなやかにたわむ（とをよる）、弾力に富んだ様を表す褒め言葉になっている。根を堅固にさし広げて凛と立つ竹であるとともに、風に揺られてもしな

やかに立ち戻る竹は、人々が畏敬する植物であり、やがて神聖な依代とみなされるようになったと考えられる。

その理由は、竹が持つ旺盛な生命力のためで、成長のシンボルとみなされたためだろう。「たけ」は「長」「猛」に通じるのだ（どうも、日本では古来からシャレ言葉で連想を広げていくらしい。兵庫県明石市にある柿本神社のお札は、安産と火事防止に御利益があるという。人麻呂を「人生まる」と「火止まる」とシャレたわけである。ここまで徹底すると何だか楽しい）。

また、竹は、霜や雪に屈せず、すっきり節を保っていることから、志操堅固《しそうけんご》であることの象徴ともなっている。さらに、竹の空洞部には神秘さがあって、神が宿る場所と考えられたらしい。もっと穿《うが》って、直立する竹の男性性とともに、空洞が女性の子宮にあたるとし、陰陽が共存する神聖な存在とみなされたという説もあるそうだ。「かぐや姫」が竹に宿ったのも、そのような発想があったのかもしれない。そういえば、かぐや姫が三ヵ月で成人したのも、筍が親竹になるまでの期間と符合する。

さらに、竹は弓に、笹は矢に使われ、魔（敵）に対抗する武器となったことから、威力あるものの材料として神性が付与されるようになったことも指摘されている（『植物と行事』）。中国では竹は「竺」で「祝」と同音であるそうで、自然に神を祝う場に似つかわしいものとなったらしい（『身辺図像学入門』）。

竹の春夏秋冬

わが家のすぐ近くにも小さな竹林があり、毎日のように眺めていると、竹の姿から四季がそのまま感じ取れるような気がする。

〈春――竹の秋〉

春、あちこちから頭を出した筍がすくすくと育ち、一枚ずつ皮を落として生長していく様は、まさに躍動という言葉がぴったりだ。蕪村は、

若竹や　橋本の遊女　ありやなし

と、艶っぽい句を作っている。橋本は、京都から大坂へ通じる街道の宿駅で、多くの遊女がたむろしていた。男山の西麓だから、山城の竹林が近くにあったのだろう。若竹を見ると、つい橋本の宿の遊女が思い浮かんでくるよ、というわけである、春らしい艶めかしい気分が漂ってくるようだ。子規が、

筍哉　虞美人草の　蕾哉

と詠ったのも、筍が土から顔を出し、草花の芽がつぎつぎ萌え出ずる春の豊饒《ほうじょう》さを強く実感したためと思われる。

とはいうものの、竹にとっては春はつらい季節なのである。筍に栄養が取られるので、栄養不足になった親竹の葉は黄色くなり落葉する季節であるからだ。そのため、春は「竹の秋」と呼ばれ、

竹の秋　ひとすぢの日の　地にさしぬ（大野林火）

と、普段は鬱蒼《うっそう》としている竹林の中にも陽が差し込むことになる。

「雨後の筍」という喩えがあるように、雨が降った翌日には、あちこちから筍が落ち葉を押しのけながら頭を出してくる。筍は一日に一メートルも生長するが、それは細胞が急速に伸長するためで、細胞に含まれる液胞中の細胞液が大量に必要になる。この急生長期の筍は一日に二〇リットルもの水分を吸収するそうで、雨を待望しているのだ。といっても、茎に蓄えられる栄養分には限りがあるから、すべての筍の芽が生長しているわけではない。地下茎の長さ三メートルにつき一本の筍だけが生長でき、他の筍の芽は地下一メートル前後の所で生長が停止してしま

うらしい。これを「止まり筍」と言う。私たちには見えないが、竹林の地下では栄養分を争って、筍の芽の熾烈な生存競争が行われているのである。

生存競争といえば、かつて「タケノコ生活」という言葉があった。第二次世界大戦後、仕事がないため収入の道を断たれた人々が、着物などの衣類や貴重品を差し出して物々交換で食べ物を手に入れる生活を強いられた。筍の皮を剥いていくのに似て、身の皮たる衣類を一枚一枚剥いで売り、食いつないだのを自嘲して「タケノコ生活」と呼んだのだ（一皮剥くごとに涙が出るという意味で「タマネギ生活」とも呼ばれたそうだ）。

節と空洞が交互にある竹を、浮き沈みが多い人生に喩える用例は平安時代からあったようで、『古今和歌集』の九五七番に、

今更に　なに生ひづらん　竹の子の　うき節しげき　よとは知らずや

という、幼子を見て詠った和歌がある。「今更になに生ひづらん」とは些か無責任な言い方だが、男親とはそんなものかもしれない。この和歌では「竹の子」は「憂き節」の枕詞として使われているだけだが、芭蕉の句では順序が逆転して、

うきふしや　竹の子となる　人の果

となっており、まさに「タケノコ生活」を連想させる用法である。つらく悲しい人生を歩むうちに裸になってしまった江戸の人々のタケノコ生活を詠んだのだろうか。

〈夏——竹植うる日〉

旧暦の五月一三日は「竹酔日《ちくすいじつ》」と呼ばれ、この日に竹を植えると必ずよく育つという伝承があった。梅雨の最中なので、芭蕉は、

降らずとも　竹植《うう》る日や　蓑と笠

と詠んでいる。いかにも用心深い芭蕉らしい句だが、『こがらし』の注に「此句より、竹うゆる日の季と成しも、翁の晩作也」とある。芭蕉が大垣を訪れて詠んだ句とされているが、実はいつのことかはっきりしない。なぜ竹酔日と呼んだのだろうか。其角は、

雨雲や　竹も酔ふ日の　人集め

と詠んでおり、友達を呼んで酒を飲み、梅雨時の鬱陶しさを払う日であったのかもしれない。

竹を植える日なのに「竹迷日《ちくめいじつ》」とも呼ばれていたからだ。

竹酔日の行事は明治時代にも受け継がれていて、子規の『寒山落木』巻三（明治二七年）に、

竹植ゑて　朋有り遠方より来る

がある。下の句は『論語』から借用しているが、やはり竹酔日には友人が集まってきて酒を飲んだのだろう。この句を受けて下村非文《しもむらひぶん》は、

聖賢の　徒にあらねども　竹を植う

と詠っている。何だか、時空を超えた尻取り句のようで楽しい。

六月二〇日には「鞍馬の竹伐《たけきり》」行事が行われる。毘沙門天《びしゃもんてん》が神呪によって大蛇を退治した故事によるもので、五穀豊穣・破邪顕正・水への感謝を祈る祭りである。鞍馬寺の本堂に四本の太いマダケがおかれており、根こそぎ抜いた二本は雌蛇に、根元を伐った二本は雄蛇に見立てている。近江座と丹波座に分かれた法師が二人ずつリレーして山刀で青竹をばっさり五段に伐り、早く太い青竹、つまり蛇を伐り倒した方が大声をあげながら堂内に駆け込むという勇壮な行事である。

竹伐や　いかづち雲の嶺に生まる（岸風三楼）

が、その雰囲気をよく伝えている。

七月七日は七夕。私の幼い頃は、旧暦で七夕を祝ったから、夏休みに入った八月にお祭りをした。朝早く起きてサトイモの大きな葉っぱに溜まった露を集め、その水を硯に入れて墨を擂《す》って短冊に願い事を書いたものだ。元日の早朝に若水を汲む儀式と共通した伝承なのだろうか。短冊を竹に吊し、茄子や瓜や西瓜や胡瓜を供えて、星空に向かって「勉強ができるようになりますように」と祈った。そして翌日、短冊を吊した竹を川に流しに行った。何だか本来の牽牛・織女の物語とは違ってしまっているが、私たちにとっては夏のひとときを楽しむ行事になっていたのだ。子規にもそんな記憶があったのだろうか、旅先で詠った句、

うれしさや　七夕竹の中を行く

がある。七夕の季節に竹を見ると、何か嬉しい気分になったのだろう。私にも共通している。どうやら、七夕を竹で飾るのは日本独特のやり方のようで、中国ではそんな風習はないそうだ。日本でも、七夕に竹を飾った記録は『太平記』（一三七五年頃）が初出で、江戸時代になってから盛んになったらしい。寺子屋の普及とともに、習字や勉学の上達を祈る風習が七夕祭りとして広

まったと考えられている。

〈秋——竹の春〉

「竹八月に木六月」と言うそうで、旧暦の八月が竹の伐り時とされている。若竹が生長する春から夏の季節は、親竹の栄養分が不足しがちで元気がなかったのが、秋になると、若竹はすっかり生長して葉を広げ、親竹にも再び栄養分が回ってきて青々と枝葉を茂らせるためだ。秋になってから「竹の春」を迎えるのである。蕪村は、

おのが葉に　月おぼろなり　竹の春

と、秋の名月を隠してしまうくらい生き生きと葉を伸ばした竹の春を愛でている。秋の竹の逞しさは、

伐りし竹　青さまさりて　横たはる（右城暮石）

に見事に描き出されている。竹は緑なのに青と表現するのは、日本人が緑と青を区別しない（できない）ためなのだろう。中村汀女《なかむらていじょ》に、

坂かけて　夕日美《うつく》し　竹の春

という句がある。秋の夕日は穏やかで、竹林の向こうに落ちていくときの煌《きら》めきは、溜息が出そうなくらい美しい光景である。この句から、京都弁の「ほっこり」という言葉の語感が実感できそうだ。

竹が少ない東北地方でも、「竹の春」になると、秋田の竿灯や青森のねぶたなど、竹を使った祭りが多く行われる。また、木曽の花馬祭り、岐阜県の谷汲《たにぐみ》踊り、東京の酉《とり》の市《いち》なども、伐った竹を上手く利用した祭りである。いずれも、竹が、軽くて丈夫で使いよいとともに、神の依代の役を果たす神聖な素材とされてきたためだろう。

〈冬——竹の音〉

冬になると、木々は枯れ、葉が落ちてしまうので、竹の青さがいっそうくっきりと目に映るためか、心まで冷え込むような日でも、竹のみが生き生きと呼吸しているように感じられる。芭蕉の、

木枯や　たけにかくれて　しづまりぬ

には、そんな気分が籠っている。竹林が冷たい風を遮ってくれるありがたさを詠ったもので、竹を夾んで凍てつく冬と向かい合っている風情が感じられる。

『万葉集』にある大伴家持の有名な短歌、

我がやどの　いささ群竹　吹く風の　音のかそけき　この夕かも（巻一九・四二九一）

は、二月二三日に詠われたもので、竹を通して目に見えない風を巧く捉えている。家持は、越中から京都に戻って少納言に昇進していたが、橘奈良麻呂の乱に巻き込まれて逼塞《ひっそく》していた時代の歌で、鬱屈した心中を竹の音で慰めている。子規が、

さらさらと　竹に音あり　夜の雪

と、竹に降雪の音を出させているのも同じ趣かもしれない。竹や笹の葉ずれの音が神との接点となるという信仰があって、竹の音を聞くと何やら心が穏やかになったような気がしたのだろう。神事や神楽で竹や笹の葉を振るのは、その音も大事であったためと考えられている。

竹の開花

わが家からバスで二〇分くらい行ったところに洛西《らくさい》ニュータウンがあり、そこによく整備された竹林公園がある。五〇年程前に京都市が大々的に宅地を開発造成したのだが、このとき多くの竹薮《たけやぶ》を潰したこともあって、市が竹林の一部を公園として保存することにしたのだ。

一九九九年の春、この竹林公園のナリヒラダケ（ダイミョウチク）が開花したという報道があった。『和漢三才図会』に「六十年に一たび花さき花実を結ぶ。其の竹則ち枯る」とあるように、竹の花が見られる機会はめったにない。といっても、怠け者の私は新聞とテレビでその花を見ただけなのだが。蕪村は、

子《み》を結ぶ　竹に日くるる　しぐれ哉

と詠んでいて、実際に竹の花を目撃したのかもしれない。彼は、竹が実を結ぶのをめでたいことと捉えているようだ。

『つぼみたちの生涯』によれば、「モウソウチクの開花周期は六七年」だそうである。一九九七年に宇都宮と埼玉の六ヵ所の竹林で開花したが、調べてみれば、それらはいずれも、一九三〇年

に横浜で開花したタケの一株から育ったことがわかった。また、一九一二年に開花・結実したモウソウチクの種子が横浜・厚木・大磯・京都に分けて植えられたが、それらが一九七九年に一斉に開花したという記録もある。これらの証拠から、モウソウチクは六七年周期で開花して枯死すると考えられている。なぜ、六七年という中途半端な周期なのだろう（もっとも、中途半端と考えるのは人間の都合で、タケにとってはちゃんとした理由があるのだろうけれど）。

また、タケはどのようにして年齢を数えているのだろうか。一本のタケはせいぜい五年くらいしか生きないから、花を咲かせたタケは、先祖の親ダケから一〇世代以上も経ている。しかし、ちゃんと六七年という周期は子孫に伝えられているのである。それも、あちこち異なった環境で育っても、一斉に花が咲くのだから不思議だ。一九九九年のナリヒラダケの開花は、洛西竹林公園だけでなく、京都府立植物園や京都大学上賀茂試験地でもあったそうで、これらへは府立植物園の親株を移植したことがわかっている。さらに、同じ年に、静岡県富士竹類植物園でナリヒラダケが開花し、この植物園から移植された姫路市の姫路女子短期大学のバンブー植物園と加西市の民家の庭でも開花した。離ればなれになった兄弟が突然声を掛け合ったごとく、一斉に開花したことになる。まるで八犬伝《はっけんでん》のようだ（洛西竹林公園と富士竹類植物園のナリヒラダケが同じ親株から分かれたものかどうか不明だが、その可能性が大きい）。

竹の利用

竹の利用法は、実にさまざまである。一一世紀の宋時代の蘇東坡《そとうば》は、

食べるものはタケノコ
庇うものはタケの瓦
載《はこ》ぶものはタケの筏
焚くものはタケの薪
衣るものはタケの皮
書くものはタケの紙
履くものはタケの鞋《くつ》
臥するのはタケの床

と列挙し、「真に一日たりとも、このもの無かるべからずと謂うべし」と書き付けている。

竹が建築材に使われるのは、清潔感があって明るく、軽くて加工しやすい上に、稈《かん》の直線性が建築美を引き立てる、などのためだろうか。茶室の柱や天井、床柱や窓枠、縁先や簀《す》の子《こ》、棚や

外壁、庇《ひさし》や垂木、簾《すだれ》や欄間、用水管や筧《かけい》など、その用途の枚挙にいとまがない。その弾力性・耐荷性・緊密性・伸縮性・抗挫性・割裂性などの特性が適所に活かされているのだ。

また、竹は細かに裂くことができるし、容易に曲げたり編んだりもできる上、耐久性にも優れているから、実に多様な用具類に利用できる。弾力性や柔らかい感触が、インテリア・デザインや工芸細工に活かされてもいる。縄文時代から籠や笊が作られ、奈良時代には厨子《ずし》や華籠《けこ》のような仏具が仕立てられ、正倉院には尺八・横笛・笙《しょう》といった竹製楽器や箱・掛け軸などの竹工芸品が収められているそうだ。室町時代に茶の湯が盛んになると、茶室建築に竹が大いに用いられ、茶筅《ちゃせん》や茶杓《ちゃしゃく》、そして花入れなども作られた。生活用具としては、笊や籠だけでなく、盆・盛り器・菓子器・行燈《あんどん》・和傘・扇子・団扇《うちわ》・筆など数多くある。芭蕉は、自らの手で竹を割き、竹を曲げて、「笠作りの翁」と自ら名乗ったそうだ。今やそれらの多くが安っぽいプラスティック製品に換わってしまったことは、何だか寂しい限りである。

私の幼い頃、「おむすび」を包むのに竹の皮を使っていた。今でも、鯖寿司は竹の皮にくるんでいるし、肉も「竹の皮もどき」に包んでくれる。竹の皮には、フェノール物質で抗菌性や消臭性のあるフラボノイドが含まれていることや、通気性があるため湿気を帯びないことが買われて、生ものの包装用に使われたのである。また、笹飴・笹団子・みたらし団子・羊羹などをくるむのに竹（笹）の葉が使われていたのも、竹の葉の清涼性や抗菌性が利用されたのだ。竹の皮や葉でくるんだ食べ物を開けるとき、何がしか「ありがたい」雰囲気があるのは、私たちも「神の依代としての竹」の雰囲気を知らず知らずのうちに共有しているのかもしれない。これらの多くがプラスティック製品に置き換わって、現在では過去形になってしまい、竹の神秘性も失われてしまう一方である。

とはいえ、祇園祭で鉾《ほこ》の上から撒かれる粽《ちまき》には、今でもチマキザサの葉が使われている。この粽は、人形《ひとかた》と呼ばれ、人間の身代わりになって災いを身に受け清めてくれるのだ。玄関に一年間吊して無病息災を祈るのが京都の習わしである。また、京都駅では「笹の葉寿司」が今でも売られている。「柿の葉寿司」とともに名物になっており、お勧めしたい。竹が持つ温かい感触は、いつまでも取っておきたいものである。先の蕪村の「子を結ぶ　竹に日くるる　しぐれ哉」という句のように、竹は人を和ませる雰囲気を持っているのだから。

竹のように

やはり、真っ直ぐに空に向かって伸びていく竹は、逞しさと躍動の象徴である。萩原朔太郎は、詩集『月に吠える』の冒頭で「竹とその哀傷」と題する一連の竹の詩を編んでいる。力強く的確に竹を表現しており、私の好きな詩である。そのうちの一節を、私の竹物語の最後に掲げておこう。

竹

光る地面に竹が生え、
青竹が生え、
地下には竹の根が生え、
根がしだいにほそらみ、
根の先より繊毛が生え、
かすかにけぶる繊毛が生え、
かすかにふるえ。

かたき地面に竹が生え、
地下にするどく竹が生え、
まっしぐらに竹が生え、
凍れる節節りんりんと、
青空のもとに竹が生え、
竹、竹、竹が生え。

（以下略）

第12章 「あさがお」――あさがほに我は食くふをとこ哉

アサガオの花

小学生の頃の夏休み、毎朝六時半からのラジオ体操に参加するため早起きし、咲き始めたアサガオの花を眠気まなこで見ながら会場の神社に駆けつけたものだった。さまざまな色模様のアサガオの花は、しっとりとした夏の朝の、ひとときの爽やかさを精一杯呼吸しているように見え、私もしゃきっと目覚めるのであった。

やがて、歳月を重ねるにつれ、ラジオ体操はもう卒業と勝手に決め、夜更かしのために起床時間が遅くなって、目覚めたときにはもうアサガオは萎《しお》れていた。ほんの数時間だけしか咲かないアサガオの花の儚さを、ただ無感動に眺める自分になってしまったのだ。あの新鮮な夏の朝はどこへ行ってしまったのだろう。芭蕉もそんな危機を自分に感じたのだろうか、

あさがほに　我は食《めし》くふをとこ哉

という句を作っている。早起きしてアサガオの花を見ながら朝飯を食べる、そして、

蕣《あさがほ》や　昼は錠おろす　門の垣

まだアサガオが咲いている時間に錠を下ろして仕事に出る、そんな平凡で健全な暮らしでありたいものだ、と自分に言い聞かせているかのようだ。アサガオは、その名の通り朝に咲く花で、『万葉集』に、

朝顔は　朝露負ひて　咲くと云へど　夕陰にこそ　咲きまさりけれ（巻一〇・二一〇四）

があるが、この歌では夕方にも咲く花なので、アサガオではなくキキョウではないかと考えられている（秋の七草の朝顔もキキョウの古名である）。

ホメオスタシス

アサガオにも早咲き遅咲きはあるが、ほぼ八〜一〇月の早朝に花が咲く。さて、アサガオは、どのようにして咲くべき時期や時間を知るのだろうか。その理由は、アサガオが「体内時計」を持っていることにあるらしい。

人間は、真っ暗闇の中で暮らすと、ほぼ二五時間周期で生理的な変化が起こることが実験でわかっている。体内のリズムを整える機構が備わっているためだ。これを「体内時計」と呼んでいる。ホルモンの分泌や睡眠の周期など、体内の生理的状態を恒常的な状態に保つために進化の過程で獲得した能力で、一般に「ホメオスタシス」と呼ばれるものの一つである。生体を一定の状態に保つことによって、激変する環境から独立したリズムを刻んで生き残ってきたのだ。

なぜ、人間の体内時計が二五時間で、地球自転の一日二四時間周期になっていないのかは、まだよくわかっていない。一日の周期と体内時計がピタッと合っていれば、機械的に毎日の行動を起こすことになり、かえって人類へと進化できなかったのかもしれない。むしろ、体内時計が二五時間周期であるため、朝起きたときに体は一時間分だけ不足分を取り戻そうと激しく生理活動をし、それが刺激になって人間の脳が大きくなった可能性がある。体内時計の指令は、脳の働きにあることまではわかっているが、まだ、体のどの部分で、どのような方法によって時間を計っているのかについては研究中である。

そういえば、かつて二七時間周期の体内時計を持つ大学院生がいた。大学院時代は、比較的時間の自由があるので、必ずしも世間の時計に従う必要はない。そこで彼は、自分にとって最も自然な、自らの体内時計に合わせた生活をしていたのだ。気をつけて見ていると、彼が大学に登校してくる時刻は一日ごとに三時間ずつ遅れていくのである。朝早く来た日を起点にとると、翌日は三時間遅れ、その翌日は六時間遅れ、そのうちに深夜に来るようになり、八日目になると元に戻るのだ。ほとんどの人の体内時計は二五時間周期で、二七時間周期の人は少なく、彼はその希な人であったことになる。このタイプの人間が、ゼミナールのために通常の時計に合わせようとすると、起きてから三時間分、体内時計の早回しをしなければならないので機嫌が悪い。ところが、彼は、結婚してからは、きっちりと二四時間周期の生活を機嫌良くおくるようになった。やはり、人間は社会性の動物なんだ、ということを認識した次第である。閑話休題。

アサガオの体内時計

アサガオにも体内時計があり、真っ暗闇で育てると、二四時間周期で花が咲くことが確かめられている。自然に忠実に生きる植物は、地球の自転に合わせた二四時間周期の体内時計を持っているのである。

ところが、よく観察していると、アサガオの花が開く時刻は夏が深まるにつれ少しずつ早くなっていくことに気付く。八月の末にもなると、朝早く起きたのに、もうアサガオの花が萎れていることが多い。つまり、日光を浴びると二四時間周期が崩れ、毎日同じ時刻に開花するわけではなくなるのである。どうやら、アサガオは、太陽の動きに合わせて体内時計をセットし直しているらしい。

実験によれば、八月のように太陽が顔を出している時間が一〇時間以上だと、暗くなり始めてからきっかり一〇時間後に花が咲くことがわかった。アサガオは、太陽が沈むと、直ちに一〇時間後に開花するよう目覚まし時計をセットしているのだ。八月も遅くなると陽が落ちるのが早くなるから、その分早く開花するようになる。さらに、温度が下がるにつれ、セットする時間が一〇時間後から八時間後になり、さらに温度を下げると四時間後になる。アサガオの起床時間は、温度が下がると早くなるのである。晩夏になると夜の気温が下がるため、開花時間がいっそう早くなり、萎れるのも夜明け前になってしまうのだ。

また、アサガオは、もう一つの体内時計で時間を計っていることもわかってきた。太陽が出ている昼間の時間が一〇時間以下になると、前日の日の出の時刻から約二〇時間後に開花するようになるからだ。陽が照っている時間の長さによって、使う時計が切り替わっているのである。つまり、アサガオは、昼間の時間が長い間は日没からの時間を計り、昼間の時間が短くなると日の出からの時間を計っているのだ（ただし、アサガオが咲く季節は、一般には昼間の時間が一〇時間以上の時期だから、日没から約一〇時間後に開花するとしてよい）。

アサガオは、通常、「短日植物」と呼ばれている。夏至を過ぎて日照時間が徐々に短くなっていくと開花する植物のことである（逆に、冬至を過ぎて日照時間が徐々に長くなっていくと開花する場合を「長日植物」と呼ぶ）。短日植物の場合、日照時間がある時間以下になると開花を始める。これを「限界日長」と呼ぶそうだが、アサガオは限界日長が一四〜一五時間くらいで、昼間の時間がこれより短くなるのは日本では七〜一〇月であるため、季節を忘れずに花を咲かせてくれるのだ。

ジャワの夏は日本より昼間の時間が短いから、背丈が低いままさっさと花を咲かせ、つるが伸びないまま種子をつけて枯れてしまうので、アサガオはちっとも愛でられていないという。逆に、日本より北の国では、夏の昼間が一五時間以上だから、アサガオはなかなか開花できない。やっと昼間の時間が一五時間を切ったときは、もう秋も深まって寒くなっており、開花しても種子を十分につけることができない。そのため子孫が残せないことになる。

これに対し、日本では、夏至には昼間の時間が一六時間弱（東京）であり、このころから発芽を開始してつるを伸ばし始める。やがて八月上旬になると、昼間の時間が一五時間を切るようになって、アサガオの開花が始まる（限界日長が短い種類は、遅咲きのアサガオになる）。まだ暑い間に花を咲かせ、種子もたくさんつけられるので、アサガオにとっては日本が最適なのである。後述するように、アサガオの品種改良でも遺伝の研究でも、日本が世界をリードしているのは、このような理由があると言えそうだ。

と、ここまでは、私が昔学校で学んだ知識なのだが、研究が進むにつれ、アサガオは昼間の時間を計っているのではなく、夜の時間を計っていることがわかってきた。植物は、太陽の光を使って光合成反応で栄養物を作っているし、私たちも太陽の動きを中心に考えるから、つい日照時間でリズムを整えていると思ってしまうが、そうではないのだ。やはり、先入観でものを見るのは危険である。

アサガオに人工光を当て、その時間を任意に調節して花の芽がどのように生長するかを調べる実験が行われた。すると、アサガオは明るい（昼間の）時間の長さには関係なく、暗い（夜間の）時間の長さで芽を出す時期を決めていることがわかってきたのである。アサガオの場合、暗い時間が九〜一一時間より長くなると、明るい時間の長さに関わりなく、花芽を伸ばすのだ。だから、「短日植物」や「限界日長」は正しい呼称ではなく、「長夜植物」や「限界暗期」と呼び直さねばならない（また、ここまで書いてきた昼間の時間は、夜間の時間に書き直す必要がある）。おそらく、花の芽を形成するフロリゲンと呼ばれる物質を生成するために、ある一定以上の暗期が必要なのだろう。とはいえ、長年の研究でフロリゲンの正体はわかったが、アサガオでどういう働きをしているかは明らかではなく、脳や神経を持たない植物のアサガオが、いかなる時計で夜の時間を計っているのか、まだわからないままである（『ヒマワリはなぜ東を向くか』）。

花のSOS信号

鴨長明は『方丈記』の一で、

その主とすみかと、無常を争ふさま、いはば朝顔の露に異ならず。或は露落ちて花残れり。残るといへども、朝日に枯れぬ。或は花しぼみて露なほ消えず。消えずといへども、夕を待つ事なし

と書いている。家の主も家そのものも無常であるのは、アサガオとその上の露が儚さを競っているのと同じようなものだとして、長明はアサガオを無常観を象徴する花とみなしているのだ。

紫式部は、アサガオは露よりもっと薄命だと、『源氏物語』の「宿木」で、

きえぬまに　枯れぬる花の　はかなさに　おくるる露は　なほぞまされる

と詠わせている。

「朝顔の花一時」と言われるように、アサガオの花はものの二時間も経たないうちに萎れてし

まう。その原因は気体のエチレンにあるらしい。エチレンは石油（正確にはナフサ）から作られる可燃性の気体だが、植物もエチレンを作っている。そのため、エチレンは「植物ホルモン」と呼ばれているが、ごく微量で、葉っぱを枯れさせ、花を萎れさせ、果実を成熟させる働きがある。アサガオは、開花すると花弁からエチレンが発生し、それによって花弁細胞から色素や糖分が流れ出して萎れていくのである。

いわば、エチレンは、盛りを過ぎた植物が、余分なものを切り捨てて、次の季節を迎えるための準備をするときの清掃係の役割を果たしていると言えそうである。リンゴやミカンを箱に詰めたままにしておくと早く熟して腐りやすいのは、病原菌が伝染するためではなく、熟し始めた果実からエチレンが放出されるためである。レモンやバナナは、まだ果実が緑の間に収穫し、輸送中にエチレンを散布して熟させており、店頭に出る頃には黄色に熟して良い味になっている。

おもしろいことに、植物が何らかの恐怖を感じたときもエチレンを出し、そのため生長が阻害されることがわかってきた（『ヒマワリはなぜ東を向くか』）。トウモロコシの種をまき、毎日一定時間だけ軽い震動を与えて育てると、震動を与えなかった場合と比べて、背の高さは半分しかなく、葉の数は三〇パーセントも少なかった、という報告がある。このとき、震動を与えたトウモロコシは、ごく微量だがエチレンを発生していた。どうやら、植物は恐怖を感じるとエチレンを発生して縮こまる、と考えてよさそうなのだ。植物のSOS信号である。

イネの苗を毎日三〇秒ずつ二回（午前九時と午後三時）手で撫でると、やはりエチレンを出して生育が遅れるという実験もある。植物にとって、人間に触られるのは恐怖らしい。そう考えると、品評会に出品されている見事な盆栽は、毎日丁寧に手入れされている分だけ多くの恐怖を与えられており、それを見る私たちは、いじけて生長を阻害された結果を楽しんでいる可能性が高い。植物に対して、何だか残酷なことをしているという気がしないでもない。

そこで、植物にエチレン検出器を取り付け、機嫌が良いかどうかを判断しながら育てては、と考えられそうだが、そうもいかない。何しろ植物が発するエチレンは非常に微量なため、簡単には検出できないからだ。しかし、いずれリトマス試験紙のような簡単な試薬で、植物のご機嫌伺いができるようになるかもしれない。もっとも、そうなれば、おちおち花を飾ったりガーデニングを楽しんだりできないだろう。どの花もSOS信号を出して助けを求めているかもしれないからだ。今や、動物を檻に閉じ込める動物園が少なくなりつつあるが、それは野性を失った動物の哀れな姿を直接見えなくするためだ。植物は悲しげな姿こそ見せないが、悲鳴の替りにエチレンを出しているかもしれないのである。

牽牛子から朝顔まで

アサガオは、その名の通り、朝に咲く容花《かおばな》という意味で「朝顔」と命名されたようなのだが、中国では、アサガオの花を「牽牛《けんご》」、アサガオの種を「牽牛子《けんごし》」と呼んでいた。牛を牽《ひ》いてアサガオの種と交換したことに由来しているようで、種が利尿剤や下剤として使われる貴重な薬であったことがわかる。正倉院の六〇種の薬にも含まれており、「牽牛の薬効」についての文献（和気広世撰『薬経太素』）もあるそうで、アサガオが薬用植物として奈良時代に渡来したことは確かである。

今でも漢方薬の材料になっているが、アサガオの種にはファルビチンという樹脂配糖体が含まれていることが一九世紀になってわかった。ファルビチンが体内に入ると、加水分解されてアルカリ塩を生じ、それが大腸を収縮させるので下痢を引き起こすらしい。

『今昔物語』巻二八の第五話に、越前守《えちぜんのかみ》藤原為盛《ためもり》が年貢米を取り立てに来た中央の役人を、謀り事によってやっつける愉快な話がある。為盛の謀り事とは、

此く熱き日、平張の下に三時四時炮《あぶ》らせて後に呼び入れて、喉乾きたる時に李・塩辛き魚共を肴にて、空腹に吉くつづしり入れさせて、酸き酒の濁りたるに、牽牛子を濃く摺り入れて呑ませてば、其の奴原は痢《ひ》らでは有りなむや

であった（『今昔物語集』3）。まずカンカン照りの中を朝から午後二時過ぎまで門前で役人たちに待ちぼうけを喰わせ、次に招き入れて塩鯛・塩鮭・鯵の塩辛・鯛の醤《ひしお》と李《すもも》のごちそうをして喉

をカラカラにさせ、最後に喉を潤すためにとアサガオの種をたっぷり摺って入れた濁り酒をガブガブ飲ませる、という手順である。その結果、役人たちは、

　腹を病みて痢り合ひたり

となって、早々に退散することになった。見事に、為盛の謀り事が成功したのだ。おそらく、平安時代の初期まで、アサガオは牽牛子を採って薬とするために育てられていたのだろう。やがて、平安時代中期頃より、アサガオの花の美しさと可憐さを愛でるようになってきたようだ。『源氏物語』では光源氏が、

　枯れたる花どもの中に、あさがほの、これかれにはひまつはれて、あるかなきかに咲きて、にほひも殊にかはれるを、折らせ給ひて、たてまつれ給ふ

と、アサガオの花を朝顔の君へのプロポーズに使っている。まだ人の手が加わらず、自然のままに枯れ草の間に生えているアサガオなのだろう、さすが紫式部らしい素晴らしい描写である。

　時代が少し下った『徒然草』ともなると、

蔦・葛・朝顔。いづれも、いと高からず、ささやかなる、墻《かき》に繁からぬ、よし（一三九段）

と、アサガオの種をまいて育てるようになったことがわかる。ただし、こじんまりとした生け垣にあまり生い茂っていないのが良い、と兼好はあくまで控えめが好きなようだ。その精神を受け継いだのだろうか、千利休が太閤秀吉を茶室に招いたとき、庭に咲き乱れている朝顔の花をいっさい取り去り、青い大輪の花をただ一輪だけ床の間に飾った、という「朝顔の茶の湯」の逸話が伝わっている。朝顔の栽培が盛んになって、大輪の花も咲かせることができるようになったのだろう。

このように、日本でのアサガオの歴史は、牽牛子（種）から牽牛花へと変貌した。それがいっそう加速されたのは、江戸のアサガオである。

江戸のアサガオブーム

江戸時代に入って太平の世が続いたためだろうか、花卉《かき》園芸が大流行した。ツバキやサザンカなどの花木、キクやアサガオなどの草花、マツバランやイワヒバのようなシダ植物など、観賞用の園芸植物が栽培され改良されたのだ。

その中で、特にアサガオ栽培が流行し、「アサガオ合わせ」と呼ぶ品評会やアサガオ市が開かれるようになった。現在も行われている入谷《いりや》の鬼子母神《きしもじん》の朝顔市は、一八三〇年頃から始まったそうである。アサガオ栽培が江戸の人々の人気を得たのは、手軽に鉢植えできること、毎朝元気に蔓《つる》を伸ばし花を咲かせること、すぐに萎れる儚さが共感を呼んだことなど、いくつか理由が考えられるが、もう一つ重要な理由がある。工夫次第で、アサガオの花にさまざまな色や形や模様が作り出せることだ。世の中にたった一つの自分しか作り出せない花が育てばいっそう楽しくなるし、人に見せて自慢したくもなる。それを見た同好の士も競って新しい花柄を作り出そうとしたのである。

実は、アサガオは、突然変異によって遺伝子が変化しやすい草花で、他の種と混じると新種になる確率が高い花なのである。アサガオには二二〇〇個以上の遺伝子があると推定され、そのうち七〇個の遺伝子についてDNA上の位置が決定されていて、各遺伝子とアサガオの花・葉・蔓(茎)の色や形との関係が明らかにされている。アサガオは遺伝の研究に格好の植物で、日本の遺伝学の得意分野となっているそうだ。

もっとも、江戸時代の人々は、まだ雄しべと雌しべすらはっきり認識しておらず、人工交配をしたわけではない。虫が花粉を運んできて他の種と交わる自然交配によっていただけである。しかし、それによって新しい花柄のアサガオが育つと、種子を保存して大事に育てたのだろう。新種ができると、その種子を翌年は別の場所に蒔くなどいろいろと工夫したらしい。江戸の庶民がせっせとアサガオによって遺伝の実験を行っていた、と言えなくもない。

まず、花の色の新種が現れた。奈良時代に渡来してからずっと、アサガオの花の色は青だけであった。やっと江戸時代に入る前に白い花のアサガオが作り出された。江戸時代に入ると赤・黄色・瑠璃色《るりいろ》など多色になり、さらに黒白染め分けのような複色模様の花が作り出された。やがて、八重咲きのような花弁の多いアサガオが登場し、一八〇〇年頃には、切れ咲き・桔梗咲き・孔雀八重・牡丹などの新種が続々登場するようになった。浮世絵に描かれたアサガオの図柄を年代に添って見ていけば、どのように多様になっていったかわかりそうである。文化文政時代には、爆発的にアサガオ栽培が流行し、京都や大坂にも飛び火した。そうなると、図鑑や参考書の類の出版も次ぎ、一八一八年に出版された『朝顔水鏡』では、花の形を四七種、葉の形を四六種にも分けているとのことである。

そこに登場したのが「変化アサガオ」で、立田咲き・台咲き・縮咲き・竜胆咲き・渦川咲き・獅子咲き・采咲き・石畳咲き・乱菊咲き・林風咲き・燕咲きのような、それまでの丸咲きとは異なった花の形のアサガオが多数作り出されたのだ。実際の花の形を見れば、その変形ぶりがわかる(私は、写真でしか見ていないけれど)。さらに、これらに「牡丹」という修飾語がついた八重咲きタイプも登場した。雄しべと雌しべが花弁のように突き出ているものだ。「縮面」と名付けた絹織物の細かい凸凹のついた皺《しわ》のような板の花片もある。私から見れば些か病的に見えるが、凝りだすとトコトン追求するのがマニアの真骨頂なのだろう（『アサガオ江戸の贈りもの』『江戸の花競べ』）。

環境のカナリア

スカーレットオハラという品種のアサガオがある。日本のアサガオがアメリカに輸出され、そこで品種改良されたもので、スカーレットの名にふさわしい真紅の花が咲くそうだ。このアサガオは、光化学スモッグに含まれるオゾンに敏感で、オゾンが増えると葉が白くなったり落葉したりするので、その被害状況から大気汚染の状態を推定することができる。また別の、青色の花のアサガオは酸性雨にあうと脱色しやすい。そのため、アサガオは環境調査の指標植物として利用されてもいる。

つまり、アサガオの花の色が褪《あ》せたり、葉が白っぽくなると、雨や大気の汚染が進行していることがわかるのだ。アサガオは、身をもって私たちに環境汚染を警告してくれると言えるだろう。まさに、アサガオは「環境のカナリア」なのである。

第13章　「ひがんばな」——曼珠沙華二三本

GONSHAN. GONSHAN.

秋のお彼岸の頃、中学校の運動会の練習をサボった私たち悪童連は、田圃の畦《あぜ》に咲き乱れていた彼岸花を両手一杯に摘んで持ち帰ることにした。これは、新卒で春に赴任したばかりの担任の女先生に叱られないための、深慮遠謀の策なのである。というのは、先生は、時折、北原白秋の詩「曼珠沙華《ひがんばな》」、

GONSHAN. GONSHAN. 何処へゆく。
赤い、御墓の曼珠沙華、
曼珠沙華、
けふも手折りに来たわいな。

GONSHAN. GONSHAN. 何本か。
地には七本、血のやうに、
血のやうに、
ちやうど、あの児の年の数。

GONSHAN. GONSHAN. 気をつけな。
ひとつ摘んでも、日は真昼、
日は真昼、
ひとつあとからまたひらく。

GONSHAN. GONSHAN. 何故《なし》泣くろ。
何時《いつ》まで取つても、曼珠沙華、
曼珠沙華、
恐や、赤しや、まだ七つ。

を読んでくれたので、きっと彼岸花が好きなのだろうから摘んで帰れば叱られないだろう、と考えたのだ。この詩は、不思議なリズムを持ち、内容はよくわからないながら妖しげなムードが漂っていて、何やら彼岸花にふさわしいな、と私たちも感じていた。

先生の解説のよれば、GONSHANとは、白秋の故郷である柳川《やながわ》の方言で、良家の令嬢のことらしい。白秋が七歳のとき、あるGONSHANの児を見て、「羞恥に満ちた幼い心臓は紅玉入の小さな時計でも懐中に匿していゐるやうに何時となく幽かに震へ初めた」と、詩集『思ひ出』の自序「わが生ひたち」に書いている。つまり、白秋の幼い頃の初恋の思い出がこの詩に込められているという。心臓が震えるさまを、いかにも大げさに表現しているが、七歳で初恋をし、それを大人になるまで覚えていて詩に詠いあげるなんて、白秋はなんと早熟な天才なのだろうと感心したものである。七歳の頃の私は、ハナを垂らして遊び回っていて、今となっては何の記憶もないのだから。

案の定、私たちの作戦は成功し、先生は練習をサボった私たちを叱りもせず、かえって喜んで彼岸花を受け取ってくれた。そして、茎を二センチくらいの間隔で互い違いに折っては、皮が切れないようにそっと剥いて二本に分け、ネックレスにしてくれたのである。おそらく、先生は少女時代の初恋のことを思い出していたに違いない。心なしか目が潤んでいるように見えたからだ。先生の雰囲気に呑まれた私たちは、照れながらも、彼岸花のネックレスを交換し合ったことであった（そういえば、奥手の私も、あの頃、同級生に初恋の想いを抱いたような気がするが……）。

呼び名アレコレ

日頃、私たちは、この花を「テクサレ」と呼んでいた。茎から出る汁には手が腐るような毒がある、と親から言われていたからだ。といっても、この花を摘んで本当に手が腐ったという話を聞いたこともないし、花好きの姉はいっぱい摘んで花瓶に生けていたから、私たちも平気で手折っていた。ただ、鮮やかな赤い花弁が輪を作り、それに直交して炎のように細く伸びる何本もの花びらは、何となく仏さんによく似合うような気がして、つい手を合わせたくなる花、とも思っていた。今、付近の田圃の畦を歩いているときに、真っ赤に咲いた彼岸花を見ると、なぜか甘酸っぱく感じるあの中学生の頃を思い出す（ひょっとして、若い女性の先生に憧れていたのかも……）。

秋のお彼岸の頃に花が咲くので、通常は「ヒガンバナ（彼岸花）」と呼ばれているが、天上に咲き、人々の心を柔軟にする花を指すサンスクリット語の「曼珠沙華」という呼び名はなかなか魅力的である。この呼び名は中国にも朝鮮半島にもなく、日本独特の命名だそうだ。

幼い頃を高知市で過ごした寺田寅彦は、

曼珠沙華　二三本　馬頭観世音

という、漢字だけの俳句を作っている。田舎の寺の薄暗い本堂にすっくと立つ馬頭観音。その堂々たる体から突き出た八本の腕と憤怒の表情の三つの顔は、子ども心にいかにも恐ろしく見えるが、その足下に生けられた彼岸花の赤い炎のような花弁が、ほのかに堂内を照らし出して恐怖心を和らげてくれる、そんな光景が目に浮かぶようである。やはり、彼岸花は仏さんにふさわしい花なのかもしれない。

そのせいか、仏教・死・葬儀などと関連する呼び名として、死人花・幽霊花・葬式花・地獄花・墓花・捨子花・寺花・お盆花・仏花・灯籠花・天蓋花・後生花などがあり、これには縁起の悪い呼び名も多く含まれている。誰の印象も共通するのだろう。また、後に述べるように、球根は毒を含んでいるため、毒百合・毒花・一時殺し・親殺し・手腐れ・耳腐り・かぶれ花・下曲がり・痺《しび》れ花・歯こぼれ花・歯欠け花というような恐ろしい呼び名もある。毒抜き処理を十分にしないまま食べて、命を落としたり、体が痺れて重体になったり、手がかぶれて腫れたりしたことがあったのだろうか。

他にも、その花片の形から、「火事花」とか「錨花《いかりばな》」と呼ばれることもある。確かに、花茎の先の蕊《ずい》の長い赤色の六弁花は燃え上がる火炎を連想させるし、四方に長い爪を延ばしたような形は反り返った錨に似てもいる。高知では「エンコーバナ」というそうで、エンコー（カッパ）がいそうな所に咲いているためらしい。（花ではなく）草の形から「狐草」とか「狐花」と呼び、花が燃え上がる様から「狐の松明」と呼ばれることもある。狐を連想させたのだろう。私たちと同じように茎を互い違いに折って遊んだので「折りかけ花」、それを首に掛けると「数珠花」、首から肩に掛ける「袈裟掛《けさか》け」とか「袈裟花」、花を下にして下げると「お提灯ボンボラコ」と、子どもたちは想像力豊かに彼岸花と遊んだのである。これらを含めて全国で一〇〇〇以上もの呼び名があるそうで、日本で最多の異名を持つ花となっているらしい。

おもしろいのは「ハミズハナミズ（葉見ず花見ず）」で、彼岸花の生態をうまく表している。彼岸花は、冬の終わり頃から野蒜《のびる》に似た細い葉を出すが、夏が近づいて暑くなるとともに枯れてしまう。やがて、秋を迎えると、葉をつけないまま、球根部分から茎と花が伸び出てくる。そして、秋風とともに花が枯れ、やがて茎も萎れて球根だけで冬を迎える、というサイクルになっているからだ。つまり、花と葉は季節が半年ずれて、互いにすれ違っていて、「花は葉を知らず、葉は花を知らない」という、ちょっと変わった花なのである。

彼岸花の日本への旅

もう一つの彼岸花の変わった性質は、（少なくとも日本で咲く）彼岸花は種子を作らず、球根の分裂でのみ繁殖することだ。遺伝子が乗っている染色体の構造が種子を作りにくくしているらしい。このことは、日本における彼岸花の起源について、重大な問題を投げかけている。日本では北海道を除く日本列島全体に分布しているが、さて彼岸花は、いつ頃、どのようなルートで日本に渡来したか、という問題である。

不思議なことに、数々の花を歌に詠み込んでいる『万葉集』に彼岸花はいっさい登場せず、以後の平安時代から鎌倉時代の文献にも彼岸花に関する記述が存在しない。何しろ目立つ花なのだから、柿本人麻呂や清少納言や吉田兼好が目に留めていたら、何か一言書き付けていてよさそうだが、その痕跡は何もないのだ。やっと、室町時代の一五世紀になって、初めて「曼珠沙華」という花の名が詩や典籍に現れるようになる。そして、一六〇三年に日本イエズス会が発行した『日葡《にっぽ》辞書』には、「Manjuxage（曼珠沙華）――秋に咲くある種の赤い花」と書かれているので、その頃には日本の至る所に咲き乱れていたのだろうと想像できる。

ならば、鎌倉時代から室町時代にかけての時代に、彼岸花が日本に渡来したと考えるのが自然だろう。しかし、照葉樹林文化を提唱した中尾佐助《なかおさすけ》は、植物の起源から考えると、奈良時代前期には既に日本に彼岸花が持ち込まれていたと推測している。というのも、彼岸花が分布するのは、中国の雲南省から、長江（かつての呼び名は揚子江）以南、台湾、朝鮮半島南部、琉球列島、九州、四国、本州と連なっており、シイやクスノキなどの照葉樹林帯とよく一致しているからだ。

実際、遺伝子型の比較によって、彼岸花のそもそもの原産地は中国の長江の流域にあることが明らかにされている。中国では彼岸花は「石蒜《せきさん》」と呼ばれており、宋の時代の一〇六二年に出版された『図経本草』が、その呼び名の初出らしい。この本は平安時代末期には日本に渡来していて、いくつかの書物に引用されてはいるが、石蒜と彼岸花（あるいは曼珠沙華）が同一の植物であると認識したのは、ようやく一七世紀の江戸時代になってからのことである。このことは、中国から石蒜を輸入して曼珠沙華と呼ぶようになったのではなく、気がついたら日本で咲き乱れている曼珠沙華が石蒜と同じであると後にわかった、ということを意味している。つまり、いつの間にか中国から日本に運ばれ、いつの間にか日本列島に彼岸花が根付いたとせざるを得ない。後述するように、彼岸花は、その花を愛でるためでなく、凶作のときの「救荒植物」として植えられていた可能性が高い。ならば、なぜ彼岸花に関する記述が室町時代までないのだろうか。死や毒のイメージを連想してしまうため、意識的に避けたのだろうか。

もし、種子によって繁殖する植物であるなら、この説明も可能である。風に吹き飛ばされたり、海流に乗って移動したり、虫や鳥によって運ばれて、種子が東シナ海を越えて簡単に日本列島に到達しうるからだ。しかし、日本の彼岸花は球根の分裂でしか増殖できないから、遠くまで分布圏を広げるのは至難のことである。むろん、何らかの理由で球根が長江に放り出されて海まで下り、海流に乗って日本まで移動して来た可能性は全否定できない。球根は、一カ月程度なら海水に浮き続け、塩水に浸されても発芽能力があることは実験によって確かめられているからだ。しかし、東シナ海の複雑な海流の動きや海水中での球根の生命力などを考えると、そう簡単なことではなさそうである。とはいえ、人が持ち込んだ歴史的記録は何もないから、漂着説は完全には否定できない。さて、彼岸花はどのような旅をして日本にたどり着いたのだろうか。

おもしろいことに、彼岸花と共通する問題が「水仙」にもある。水仙も種子をつけず球根で繁殖する。そして、水仙に関する記述も室町時代以前にはいっさいなく、ようやく一四四四年に刊行された国語辞典『下学集』に「水仙華、俗名雪中華」という記述が現れるのだ。さて、彼岸花も水仙も、海流が運んでくれたのだろうか、それとも人の手で持ち込まれたのだろうか、未だに決着がついていない問題である。水仙と曼珠沙華で異なることは、曼珠沙華は漢語ではないが、水仙は漢語であるということで、それが何かを物語っているのではないかと、素人思案している。

彼岸花の毒性

彼岸花が有毒植物であるのは、細胞内部の液胞にアルカロイド（植物塩基）の一つであるリコリンが含まれているためである。アルカロイドとは「アルカリもどき」という意味で、薬理的活性を示す窒素を含む有機化合物のことだ。アルカロイドの仲間には、タバコのニコチン、ケシのモルヒネ、コーヒーのカフェイン、コカノキのコカイン、トリカブトのアコニチン、毒人参のコニイン、キナのキニーネなどがあり、いずれも神経毒として作用する化合物である。彼岸花に含まれるリコリン（Lycorine、『理化学辞典』では、「ヒガンバナ科アルカロイド」と書かれている）は、自律運動を減衰させ、呼吸困難に陥らせる作用が知られており、これが彼岸花の毒性の元凶となっている。

もっとも、アルカロイドは薬にもなる。有名なのはキニーネで、かつてはマラリア熱の唯一の治療剤であり、現在でも解熱剤として用いられている。リコリンも、熱や痛みを抑え、腫瘍細胞の活性を低下させるなどの薬効が知られている。彼岸花と同科の水仙にもリコリンが含まれていることを思うと、きれいな花には毒があり、毒と薬は紙一重、なのである。

ところで、ヒガンバナ属の学名（リコリス・ラジアータ）は、その花の美しさを讃え（花が放射状に広がっているためラジアータとある）、ギリシャ神話の海の女神である、ラテン語名のリコリス（Lycoris）から名づけられた、とされている。あるいは、古代ローマの女優でアントニウスの愛人であったリコリスに由来するという説もあるらしい。そのため、彼岸花に含まれているアルカロイドをリコリンと呼ぶようになったのだろうか。逆に、彼岸花にリコリンが多く含まれているため、学名をリコリスとしたとも考えられる（何しろ、彼岸花は西洋にはない花なのだから、ギリシャやローマの名前がついているのは、何か釈然としない思いなのである）。

このように毒性の方がよく知られている彼岸花なのに、今でも田圃の畦やお寺の空き地に固まって生えているのだから、昔から人々は抜き捨てないで保存してきたことがわかる。その理由は、彼岸花の球根が「救荒植物」であったためと考えられている。球根にはデンプン（炭水化物）が豊富に含まれているので、穀物が不作であったときの緊急の食物として利用されたのだ。徳島県では、天明年間と天保年間の大飢饉のとき、彼岸花に笹の芽を蒸し焼きにして作った粉を混ぜて飢えをしのいだ、と伝えられている。茶碗蒸しによく使われる「百合根《ゆりね》」と同じように、球根が食材となったのだ。

もっとも、球根にはリコリンが含まれていて毒性があるので、粉にして水に長時間晒《さら》すとか、塩と油で調理してリコリンを分解するなどの方法で、毒抜きをしなければならない。それが不十分だと毒にやられるのだ。タケノコやヤマイモ、ワラビやゼンマイなども湯がいて「アク」抜きをするが、ここで「アク」と呼んでいるのは、アルカロイドのような毒性成分や不快な苦味や渋味成分のことである（人間にとって不要で好ましくない成分だが、植物が身を守るための必須の手段なのである）。昔の人々は、さまざまな試行錯誤をして彼岸花の毒抜き法を発見したのだろう。もっとも、死人花とか毒百合などという呼び名があるのは、毒抜き法に失敗した歴史をも物語っているとも想像される。彼岸花の球根は、まだ食べたことがないが、さてどんな味がするのだろうか（『ヒガンバナの博物誌』）。

歌ことば

曼珠沙華を歌ことばに用いるのが「タブー」であったことは、万葉から近世までの和歌四五万首を収める『新編　国歌大観』に一首も出てこないことからもわかる。ようやく近世に俳諧で初めて顔を出し、短歌に詠まれるようになったのは近代に入ってからだそうだ（『古今歌ことば辞典』）。

蕪村の遺稿に、

まんじゅさげ　蘭に類ひて　狐啼《きつねなく》

がある。蘭と狐は符合のようで（「狐蘭菊ノ叢《くさむら》ニ蔵《かく》ル」）、蕪村は、秋の花の曼珠沙華と菊を見ながら、蘭菊から狐を連想したのかもしれない。私は、曼珠沙華は「狐花」とも呼ばれ、狐は蘭菊と結びつき、菊は秋の花の曼珠沙華とつながる、と狐・菊・曼珠沙華の三つが環を作っているのではないかと思っている。

大正の歌人である木下利玄は「曼珠沙華の歌人」と呼ばれたそうで、本格的に曼珠沙華を和歌に取り上げた初めての人らしい。彼は、死の一カ月前（一九二五年）に、雑誌「日本」に「曼珠沙華の歌」を発表しているが、そこには「わが故郷にては曼珠沙華を狐ばなと呼ぶ、われ幼き頃は曼珠沙華の名は知らざりき」との詞書に続けて、

春ける彼岸　秋陽に狐ばな　赤々そまれり　ここはどこのみち

と詠んでいる。秋の夕陽が沈む時分に、「赤い狐ばな（曼珠沙華）」に囲まれた道を独り歩いた

子どもの頃を回想した歌である。「狐ばな」と呼ばれたのは草の形からで、それは草だけの春の彼岸花の姿である。それを「春ける彼岸」と表現したのではないかと思う。そして、秋には見事な赤い狐ばなとなって咲く、その変身ぶりを詠ったのだろう。

斎藤茂吉は、曼珠沙華を詠んだ短歌を一二首作っているが、私が気に入ったのは、

曼珠沙華　咲くべくなりて　石原へ　おり来む道の　ほとりに咲きぬ

である。「咲くべくなりて」という表現が、清々しい秋の季節感を表しているように感じるからだ。

近代に入ってからは曼珠沙華は俳句にも多く詠われるようになった。一つだけ、高浜虚子の、

駈けり来し　大烏蝶　曼珠沙華

を紹介しておきたい（『虚子五句集』下）。日本画を彷彿させる作品である。

新しい版へのあとがき

本書の旧版の『天文学と文学のあいだ』（廣済堂出版）は、今からちょうど二〇年前の二〇〇一年に出版したものである。「はじめに」にも書いたように、まさにこの頃に「新しい博物学」の構想を持ち、意気込んで執筆したのであった。最初によく知っている理系知のテーマを選び、続いて文系知に広げるべく、関連する話題を『万葉集』『日本書紀』『源氏物語』など古典から引っぱり出し、あるいは芭蕉・一茶・蕪村をはじめいくつもの『俳諧歳時記』を繰ってふさわしい俳句を探すなど、テーマを補強する文学のエピソードを集める。その上で二つの分野の「知」を合体させて一つの物語として完結させる、というやり方を採った。その結果出来上がった本は、「新しい博物学」への最初の挑戦として成功したと自惚れていたのだが、残念ながらほとんど売れなかった。勝手に自分だけが面白がっていただけなのかと思って落ち込み、「新しい博物学」に対する意欲が一気に萎んでしまうことになった。

しかし、未練は残っていた。そこで、本好きの従姉弟に「なぜ、この本は売れなかったのだろうか？」と尋ねたところ、「本の装幀が上品ではなく、紙質も安っぽい。博物学って、役に立たないけれど、人々が心の余裕を持って接し、好奇心を満たして心を楽しませるものでなくてはならないのに、それに適した本の作りではなかった」と手厳しい感想を寄せてくれた。その後、彼女はすい臓がんのために早世した。この言葉が、彼女の遺言のように思えたものである。

本の命は、そこに書かれた中身にあることは言うまでもないが、紙質や装幀など、その外見も本の価値を測り、読んでみようとの気持ちを惹きつける重要な要素である。漱石や鷗外など著名な作家たちは本の装幀にもアレコレ口を出し、自分として満足する仕様としたことはよく知られている。そんな大作家ではない私だから、本の体裁についてアレコレ言う資格はないし、またそんな趣味もないから、出版社にお任せであったのだ。

というわけで、売れなかったのは「新しい博物学」の内容ではないと自分に言い訳をしつつも、やはり意気込んで書いた本がほとんど誰にも見向きもされずに消えてしまうことで、「新しい博物学」の試みを続けていく気概を失ってしまった。出足を挫かれて、そもそもの目標を見失ってしまったのである。

ちょうどその頃、自分の研究分野を宇宙論から科学・技術・社会論に移そうとしていた。天文・宇宙の分野は、人々に夢を提供する分野で、研究者としても誰もが憧れるいわばエリートなのだが、それで満足できなくなっていたのだ。やはり科学者として、科学の社会における役割や科学研究の社会的意味などについて考え、現実に生じている科学に関わるさまざまな事象・事故・事件について、科学者のあるべき姿や責任を論評する方向に舵を切ったのである。我流の科学・技術・社会論と言っている。とりわけ、世界中で進んでいる科学の軍事利用について、科学者に、そして社会に、厳しく問いかける仕事に熱を入れた。

他方で、博物学的な関心から科学史の分野に興味を覚え、特に江戸時代後期において蘭学が日本の科学に与えた影響を調べる研究計画を立てた。異質の文化の流入が、いかに人々の意識を変え、新しい精神世界を生み出す契機になったかを知りたかったからだ。蘭学が日本の科学の歴史においてどのような役割を果たしたか、そして人々はどのようにそれを受容したかを探る試みである。

折しも、「江戸ブーム」とかで、江戸の文化や風俗や伝統が多くの人々の関心を惹きつけ、江戸の人々の生き方を見直す契機になっていた。ジャレド・ダイアモンドの著作などによって環境保全という側面から、合理的な消費文明のあり方が世界的な注目を浴びたためでもある。私は江戸の科学のあり方に関心があり、科学者の系譜や業績を渉猟しながら、まだあまり研究されていない分野はないものかと探し始めた。科学者の常として、単に学習するだけでは満足できず、まだ誰も手を付けていない分野を見つけ出し、そこに何かを付け加えることができないかと考えたのである。

ここで「新しい博物学」の方法が有効であることを再認識した。現代の私たちにとっては「地球」とか「地動説」という概念は当たり前のことなのだが、江戸時代の人々が初めてこの言葉を聞いて、地面が丸いことを知り、地球が太陽の周りを回っていると言われたら、さてどう感じたことだろうか。星の世界の「理系知」が、人々にどのように浸透し「人間知」とどのように結びついたかの探究である。そんなことは詳しく調べられていると思っていたのだが、意外にもあまり研究されていなかった。江戸の天文学史は、当時の天文学の主流であった暦学の歴史に偏っており、西洋の知識の流入が日本の天文学者にあまり影響を与えなかったので、ほとんど天文史家の関心を惹かなかったのだ。

探索の結果、司馬江漢という名代の絵師が、地動説を知って魅了され宣伝に努めたということを知った。司馬江漢は海千山千の、「名利（名声と利得）」ばかりを追い求めた、些かいかがわしい人物と見做されており、科学史において無視されてきたきらいがある。日本の学者には、もっぱら公的な地位や学者の出自や系列を重視し、それからはみ出た人物には光を当てない傾向がある。ましてや、例えば江漢のような文系人間の理系分野への発言は、単なる戯言のようにしか受け取られてこなかった。これは科学史における「新しい博物学」的観点の欠如なのではないか、そう思った次第である。

そこで、『司馬江漢——江戸の「ダ・ヴィンチ」の型破り人生』（集英社新書、二〇一八年）において、彼が日本で最初に地動説を唱道し、無限宇宙論に足を踏み入れたことをまとめた。江漢は蘭学がもたらした新しい知識を、最初はおそるおそる、やがては積極的に受け入れたのだ。さらに、江漢に続いて、長崎の通詞（オランダ語の通訳）であった志筑忠雄《しづきただお》が翻訳書『暦象新書』で無限宇宙論を紹介し、大坂の大名貸しの豪商の番頭であった山片蟠桃《やまがたばんとう》が『夢の代』において、人間があちこちに生きている大宇宙論を考えていたことも知った。著名な絵師・長崎通詞・豪商の番頭という、天文学の素人が天動説から無限宇宙論にまで論を広げたのである（これについては『江戸の宇宙論』として集英社新書から二〇二二年三月に出版）。さらに、天文・宇宙の話題に限らず、江戸の科学と人間の結びつきを『江戸の好奇心』として取りまとめたいと考えている。

というような寄り道をしながら、「新しい博物学」を再構築する気持ちが蘇ってきた。そこで、とりあえずは、私としてはそれなりに自信があった著作で、ほとんど注目されることなく消えていた旧版の『天文学と文学のあいだ』を蘇生させようと考えた。せっかくの作品が埋もれたままであるのは口惜しいからだ。

そのような意図を青土社編集部の永井愛さんに持ち掛けたら、旧版を読んで気に入り、廣済堂出版からの版権譲渡の交渉をして下さり、ここに新たに『清少納言がみていた宇宙と、わたしたちのみている宇宙は同じなのか？』として光を浴びることになった。二〇年以上前の著作だから大幅に改訂し、新たに「あわ」の章を付け加え、引用文献をすべて調べ直し新たに付け加えもした。このような手を入れる作業をする中で、「新しい博物学」の原型がここにある、と自ら再認識した思いである。こうして、ほぼ新刊同様の手間を加えて上梓できるようになったことを喜びたい。ひとえに永井愛さんの奮闘のおかげと感謝している。

池内 了

二〇二一年一一月　初冬の京都にて

参考文献

※各章の本文言及順に記載している。

全体を通して

『萬葉集』一〜五、青木生子、井手至、伊藤博、清水克彦、橋本四郎校注、新潮日本古典集成、一九七六—一九八四年

『万葉集』上・下、佐々木信綱編、岩波文庫、一九九九年

『古事記』倉野憲司校注、岩波文庫、一九六三年

『日本書紀』一〜五、坂本太郎、家永三郎、井上光貞、大野晋校注、岩波文庫、一九九四—一九九五年

『俳諧歳時記　新改訂版』シリーズ、新潮社編、新潮文庫、一九六八年

『俳諧歳時記栞草　増補』上・下、曲亭馬琴編、藍亭青藍補、堀切実校注、岩波文庫、二〇〇〇年

『俳句歳時記　第三版』シリーズ、角川書店編、角川文庫、一九九六年

『俳句歳時記　新装版』シリーズ、富安風生ほか編、平凡社、二〇〇〇年

『誹風柳多留』一〜三、山澤英雄校訂、岩波文庫、一九九五年

大岡信『私の万葉集』一〜五、講談社現代新書、一九九三—一九九五年

斎藤茂吉『萬葉秀歌』上・下、岩波新書、一九三八年

中西進『万葉の秀歌』上・下、講談社現代新書、一九八四年

片野達郎、佐藤武義『歌ことばの辞典』新潮選書、一九九七年

清少納言『枕草子』池田亀鑑校注、岩波文庫、一九六二年

紫式部『源氏物語』1〜6、石田穣二、清水好子校注、新潮日本古典集成、一九七七年

吉田兼好『徒然草　新訂』西尾実、安良岡康作校注、岩波文庫、一九八五年

鴨長明『方丈記　新訂』市古貞次校注、岩波文庫、一九八九年

松尾芭蕉『芭蕉俳句集』中村俊定校訂、岩波文庫、一九

七〇年
小林一茶『一茶俳句集　新訂』丸山一彦校注、岩波文庫、一九九〇年
谷口蕪村『蕪村俳句集』尾形仂校注、岩波文庫、一九八九年
寺島良安『和漢三才図会』1~18、島田勇雄他訳注、平凡社東洋文庫、一九八五年
鈴木棠三『新編故事ことわざ辞典』創拓社、一九九二年
高浜虚子『虚子五句集』上・下、岩波文庫、一九九六年
夏目漱石『漱石俳句集』坪内稔典編、岩波文庫、一九九〇年
正岡子規『子規句集』高浜虚子選、岩波文庫、一九九三年
寺田寅彦『寺田寅彦全集』岩波書店、一九九七年
萩谷朴『風物ことば十二ヵ月』新潮選書、一九九八年
岩槻邦男『根も葉もある植物談義』平凡社、一九九八年
小笠原左衛門尉亮軒『江戸の花競べ――園芸文化の到来』青幻舎、二〇〇八年

第1章

斉藤国治『古天文学の散歩道――天文史料検証余話』恒星社厚生閣、一九九二年
石川忠久『夏の詩100選』NHKライブラリー、一九九六年
海部宣男『宇宙をうたう――天文学者が訪ねる歌びとの世界』中公新書、一九九九年
『梁塵秘抄』後白河院撰、榎克朗校注、新潮日本古典集成、一九七九年
野尻抱影『星の神話・伝説』講談社学術文庫、一九七七年
『山家鳥虫集――近世諸国民謡集』浅野建二校注、岩波文庫、一九八四年

第2章

ジョン・ブロックマン『2000年間で最大の発明は何か』高橋健次訳、草思社、二〇〇〇年
アリストパネス『ギリシャ喜劇II　アリストパネス』下、呉茂一訳、ちくま文庫、一九八六年
渡辺愈『身近な物理学の歴史』東洋書店、一九九三年

金子務『ガリレオたちの仕事場――西欧科学文化の航図』ちくまライブラリー、一九九一年
ガリレオ・ガリレイ『星界の報告――他一編』山田慶児、谷泰訳、岩波文庫、一九七六年
吉田正太郎『巨大望遠鏡への道』裳華房、一九九五年
立川昭二『いのちの文化史』新潮選書、二〇〇〇年
北原白秋『北原白秋詩集　改版』神西清編、新潮文庫、一九六八年
江戸川乱歩選『世界短編傑作選』2、創元推理文庫、一九九三年

第3章

井原西鶴『好色一代女』村田穆校注、新潮日本古典集成、一九七六年
堀田善衛『定家明月記私抄』続篇、新潮社、一九八八年
松本章男『京都 花の道をあるく』集英社新書、一九九九年

第4章

池内了『泡宇宙論』ハヤカワ文庫、一九九五年
池内了『天文学者の虫眼鏡』文春新書、一九九九年
池内了『中原中也とアインシュタイン』祥伝社黄金文庫、二〇一二年
マイケル・ポーラン『欲望の植物誌――人をあやつる4つの植物』西田佐知子訳、八坂書房、二〇〇三年
米田芳秋『アサガオ江戸の贈りもの――夢から科学へ』裳華房、一九九五年
ロバート・フォーチュン『幕末日本探訪記――江戸と北京』三宅馨訳、講談社学術文庫、一九九七年
花咲一男『川柳江戸歳時記』岩波書店、一九九七年

第5章

吉岡安之『マグネットワールド――磁石の歴史と文化』TDK株式会社編、日刊工業新聞社、一九九八年
『続日本紀――全現代語訳』上、宇治谷孟訳、講談社学術文庫、一九九二年
景戒『日本霊異記』小泉道校注、新潮日本古典集成、一九八四年
『名作歌舞伎全集』第一八巻、戸板康二、利倉幸一、河竹登志夫、郡司正勝、山本二郎監修、東京創元社、一

九六九年
『狂言記』橋本朝生、土井洋一校注、新日本古典文学大系、岩波書店、一九九六年
アーサー・サトクリッフ、アーサー・P・D・サトクリッフ『エピソード科学史』1、市場泰男訳、現代教養文庫、一九七二年
ジョナサン・スウィフト『ガリヴァー旅行記』平井正穂訳、岩波文庫、一九八〇年

第6章

中原中也『中原中也詩集』大岡昇平編、岩波文庫、一九八一年
柏木博『20世紀をつくった日用品――ゼム・クリップからプレハブまで』晶文社、一九九八年
『荊楚歳時記』宗懍撰、守屋美都雄訳注、布目潮渢、中村裕一補訂、東洋文庫、一九七八年
石川忠久『春の詩100選』NHKライブラリー、一九九六年
石寒太『「歳時記」の真実』文春新書、二〇〇〇年
近角聡信『日常の物理事典』東京堂出版、一九九四年

第7章

中島路可『聖書の中の科学』裳華房、一九九九年
プリニウス『プリニウスの博物誌』中野定雄、中野里美、中野美代訳、雄山閣出版、一九八六年
プルタルコス『プルタルコス英雄伝』下、村川堅太郎訳、ちくま学芸文庫、一九九六年
アーサー・サトクリッフ、アーサー・P・D・サトクリッフ『エピソード科学史』1、市場泰男訳、現代教養文庫、一九七二年
町井昭『真珠物語――生きている宝石』裳華房、一九九五年
ヨハン・ベックマン『西洋事物起源』特許庁内技術史研究会訳、岩波文庫、一九九九年
『竹取物語』上坂信男全訳注、講談社学術文庫、一九七八年

第8章

五味文彦『「徒然草」の歴史学』朝日選書、一九九七年
廣野卓『食の万葉集――古代の食生活を科学する』中公新書、一九九八年

高木雅行『味と匂いのよもやま話――猫は砂糖が甘くない？バラの香りは死の匂い？』裳華房、一九九四年
山口静子『うま味の文化・UMAMIの科学』丸善、一九九九年
成瀬宇平『魚料理のサイエンス』新潮選書、一九九五年

第9章

常石敬一『毒――社会を騒がせた謎に迫る』講談社、一九九九年
山崎幹夫『毒の話』中公新書、一九八五年
野口玉雄『フグはなぜ毒をもつのか』NHKブックス、一九九六年
成瀬宇平『魚料理のサイエンス』新潮選書、一九九五年
紫式部『紫式部日記――紫式部集』山本利達校注、新潮日本古典集成、一九八〇年

第10章

梅谷献二『虫のはなし』2、技報堂出版、一九八五年
木村滋『昆虫に学ぶ』工業調査会、一九九六年
藤田真一『蕪村』岩波新書、二〇〇〇年
遊磨正秀、生田和正『ホタルとサケ――とりもどす自然のシンボル』岩波書店、二〇〇〇年
菅野洋一、仁平道明『古今歌ことば辞典』新潮選書、一九九八年
『伊勢物語』渡辺実校注、新潮日本古典集成、一九七六年
浅井了意『江戸名所記』朝倉治彦校注、名著出版会、一九七六年

第11章

内村悦三『「竹」への招待――その不思議な生態』研成社、一九九四年
湯浅浩史『植物と行事――その由来を推理する』朝日選書、一九九三年
岡泰正『身辺図像学入門――大黒からヴィーナスまで』朝日選書、二〇〇〇年
田中修『つぼみたちの生涯――花とキノコの不思議なしくみ』中公新書、二〇〇〇年
小方宗次、柴田昌三『ネコとタケ――手なずけた自然にひそむ野生』岩波書店、二〇〇一年

萩原朔太郎『萩原朔太郎詩集』三好達治選、岩波文庫、一九八一年

第12章

滝本敦『ヒマワリはなぜ東を向くか――植物の不思議な生活』中公新書、一九八六年

『今昔物語集――本朝世俗部　新装版』3、阪倉篤義、本田義憲、川端善明校注、新潮日本古典集成、一九八一年

米田芳秋『アサガオ江戸の贈りもの――夢から科学へ』裳華房、一九九五年

第13章

北原白秋『北原白秋詩集』神西清編、新潮文庫、一九六八年

一戸良行『毒草の雑学』研成社、一九八〇年

植松黎『毒草を食べてみた』文春新書、二〇〇〇年

栗田子郎『ヒガンバナの博物誌』研成社、一九九八年

菅野洋一、仁平道明『古今歌ことば辞典』新潮選書、一九九八年

斎藤茂吉『斎藤茂吉歌集』山口茂吉、柴生田稔、佐藤佐太郎編、岩波文庫、一九七八年

池内 了（いけうち・さとる）
1944年、兵庫県生まれ。総合研究大学院大学名誉教授、名古屋大学名誉教授。専門は宇宙論、科学技術社会論。世界平和アピール七人委員会の委員でもあり、長年にわたり科学者の立場から平和を呼びかけ続けている。『お父さんが話してくれた宇宙の歴史（全4冊）』（岩波書店、1993）で産経児童出版文化賞JR賞、日本科学読物賞を、『科学の考え方・学び方』（岩波ジュニア新書、1997）で科学出版賞（講談社）、産経児童出版文化賞推薦を、『科学者は、なぜ軍事研究に手を染めてはいけないか』（みすず書房、2019）で毎日出版文化賞特別賞をそれぞれ受賞。そのほかの著書に『ふだん着の寺田寅彦』（平凡社、2020）、『寺田寅彦と現代 新装版』（みすず書房、2020）、『江戸の宇宙論』（集英社新書、2022）などがある。

清少納言がみていた宇宙と、
わたしたちのみている宇宙は同じなのか？
——新しい博物学への招待

2021年12月30日　第1刷発行
2022年 6 月30日　第5刷発行

著　者　　池内 了
発行者　　清水一人
発行所　　青土社
101-0051　東京都千代田区神田神保町1-29　市瀬ビル
電話　03-3291-9831（編集部）　03-3294-7829（営業部）
振替　00190-7-192955

装　幀　　重実生哉
印刷・製本　双文社印刷
組　版　　フレックスアート

ISBN978-4-7917-7440-1 C0040 Printed in Japan